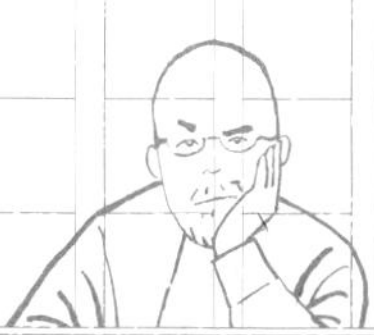

たった独りのための小説教室　花村萬月　集英社

たった独りのための小説教室　目次

たった独りのための小説教室

第1講 小説を書こう

私の父は小説家志望でした。

残念ながら小説家として世に立つことはできず、五十八歳で病歿《びょうぼつ》しました。

明治四十一年生まれで幾度も結婚し、放蕩《ほうとう》の限りを尽くしました。

母は昭和生まれで父と二十三、歳《とし》が離れていました。父はまともに働かずに自称小説家の日々を送り、妹が生まれたときなど出産費用をつくってくると言い棄《す》てて行方不明になり、あげく生活が立ちゆかなくなった母は幼い私と妹を連れて母子生活支援施設、当時は母子寮と呼ばれていましたが、六畳一間に母子三家族が同居する福祉施設の世話になりました。父の自筆の履歴書が残っています。

職歴　戦前及戦時　在中華民国上海特別市日本大使館上海海軍武官府及第三艦隊旗艦出雲所属海軍通訳官
なかなか華々しい。が、なぜか戦後の職歴欄は渋谷区レデンプトール会修道院勤務とあるだけです。海軍通訳官でしたので語学に堪能で、カトリック関係の書籍等の翻訳を手伝っていた――と書けば恰好《かっこう》いいけれど、小説家になるという大望を抱いて、妻子を抛《ほう》りだして遊んでいたのです。

これくらいにしておきましょう。小説家になれず、貧困のどん底で医者からも見放されて死んでいった父の苦渋に充《み》ちた人生は、幼い私にとっても凄《すさ》まじいというか、呆《あき》れ果てたものでした。なによりも惨めでした。

誰からも相手にされず、けれど自尊心と自負心だけは異様に肥大した男の悲惨な末路を目の当たりにした私です。

貴方《あなた》に安易に小説家になれなどと勧めるわけにはいきません。安直にそそのかして、貴方が父のような人生を歩んでしまったとしたら――。

父は当然ながら日本語も人並み以上だったでしょう。さらに中国語、ラテン語、英語、ドイツ語ができたそうです。これだけ語学に優れているのに、小説家にはなれなかった。なぜでしょう。

答えは簡単です。語学センスはあったけれど小説家のセンスがなかった。言語と小説には密接な関係があるけれど、どうやら小説という散文表現は、書いて喋《しゃべ》れることとはほぼ無関係にあるようです。

このような本を手に取った貴方は、まわりの友人よりも多少速く走れたとしても、だからといって先々はオリンピックの百メートル走に出場して人類最速を目指そうとは思わないでしょう。

私だって走れますが、陸上競技の映像などを見るたびに別世界の出来事のような気がします。

誰だって走れます（誰だって字くらい、書けます）。でも周囲より抽《ぬき》んでて速く、第三者から貴方には並以上の走るセンスがあると認められなければ、趣味で走るのはともかく、世界陸上に出場するために努力研鑽《けんさん》の日々を送ろうとは思わないはずです。

思うのは勝手であるとはいえ、私には無理です。百メートルを十秒台、九秒台で走る。素質とセンスがなければ、絶対に無理ですから。

私にとっては努力や頑張りでなんとかなるなどと思い込むことさえ不可能な世界です。けれど、貴方がオリンピックを目指すのは、まさに貴方の自由です。

文学を究めてノーベル賞作家になる。大ベストセラー作家になる。これも貴方の自由です。あれこれ口を差し挟む気は一切ない。ただし私は貴方と完全に無関係です。

以前 mixi で〈ブビヲの学校〉というコミュニティを主宰していたことがあります。新人賞の選考をしていて目覚めてしまったというのも大仰ですが、プロの小説家まであと一歩の人の手伝いがしたくなった。

このコミュニティに参加し、ごく基本的なことを学んで新人賞に応募し、実際に受賞した方が四人ほどいました。

授賞式のときに受賞者から〈ブビヲの学校〉で学ばせていただきました。ハンドルネーム・ヒミコ（仮名）です――と挨拶されて、引っ込み思案のくせにいつも核心を突いた質問をしていたヒミコか！　などと大いに盛りあがったものです。

残念なことに〈ブビヲの学校〉は嫌気がさして閉校してしまいました。

参加者が増えるにしたがって、おかしな者が蔓延《はびこ》りはじめたからです。誰彼かまわず言葉尻を捉えて突っかかる女性。小賢《こざか》しい問題発言ばかりする男性。まともに作品を書いている気配もなく、彼女の作品を読んだことなど一切ない私に、いつデビューさせてくれるのかと捻《ね》じ込んでくる女性。理不尽といいますか、不条理の坩堝《るつぼ》と化してきた。

世間には頭のおかしな人が一定数存在することを思い知らされました。

また自らを省みることなく偉そうにあれこれ他作品を批評する何様も多く、鬱陶しく面倒な気分になってしまった。

授業料を戴《いただ》いているならば我慢もします。でも当然ながら金銭はおろか歳暮も中元も戴いておりません。なんの義理もない。すっぱりやめてしまったというわけです。

そろそろ〈たった独りのための小説教室〉という題名の意図の欠片《かけら》のようなものを感じていただけていることでしょう。

まず、はっきりさせておきたいのはたった独りとは、承認欲求で膨張した貴方のことではない、ということです。

〈ブビヲの学校〉のときも、ほとんどの人がうまくいかないであろうことが直覚できてしまいました。

他人の作品に対しては辛辣な批評を投げかけるのに、なぜ自身の作品にその批評眼がはたらかないのか。

九秒台とは言いません。が、自身の作品の程度が見えない人は、たぶんいくら努力して頑張っても十秒台で走ることは不可能です。

他人の作品の粗はいくらでも見つけられるのに（選手権大会の走者の映像を見て、フォームその他あれこれ批評できるのに）、自身の作品のことはまったくわからない（自分で走るとドタバタ、ドタドタ）というのは、やはりセンスがないからなのです。

世の中は残酷なものです。けっきょくは素質とセンスのあるなしに帰結してしまうからです。走る素質とセンスのない人が走路をひた走る。もちろん走るのは自由です。走路（新人賞）はいつだって開かれています。

でも、私は、自分の父親の末路を知っている。だから走る素質とセンスのない人に努力すればなんとかなるといった気休めを口にすることはできません。

貴方も薄々わかっているでしょう。勝者はいつだって努力や頑張りという実のない抽象を口にして、有象無象からの羨望や嫉妬をはぐらかしてしまうのです。

成功者が鷹揚《おうよう》な笑みを泛《うか》べて語る努力は、単なる保身です。センスのない人の相手をするのが面倒なのでもっとも無難な対処をするのです。

〈ブビヲの学校〉を閉じてしまって以来、私はいつも心の底で念じてきました。

まだ才能を自覚していない、センスのある控えめな貴方が世に出る手助けをしたい。

ただし自尊心が肥大しただけの、図々しくも囂《かまびす》しいその他大勢の相手はしたくない。誰に対しても開かれていたがゆえの〈ブビヲの学校〉の苦痛を繰り返したくない。

〈たった独りのための小説教室〉と題した所以《ゆえん》です。

センスあるたった独りは〈ブビヲの学校〉での物静かな遣《や》り取りから核心を摑《つか》んで新人賞を受賞したように、まがりなりにも小説で飯を食っている私のこの独白から、言語という抽象を扱って具象をあらわし、虚構を構築する技術を学んでくれることでしょう。

じつは、私は、すこしだけ焦っています。これから書くことは、担当Ｉや編集長を驚かせ、あわてさせてしまうかもしれません。

不調を自覚したのは二〇一七年の夏でした。とにかく懈《だる》い。散歩にでて、尋常でない懈さに歩くことができなくなり路肩に座り込んでしまったことがあった。

同じくその年の秋に、執筆していると足が異様にむくむようになりました。スニーカーに足がはいらなくなるほどでピリピリ痛みが疾《はし》ります。少し早足で歩くと動悸《どうき》息切れがひどく、外出がしんどい。

二十数年ぶりに歯医者以外の医者にかかって血液検査をされました。

結果、赤血球が基準最低値の半分以下、血小板の異常増殖等々があきらかになり、さらに骨盤穿刺《せんし》で骨髄を抜かれて細胞を調べたところ、染色体の三番と十三番に異常が見つかり、骨髄異形成症候群と診断されました。わかりやすい言いかたをすれば、白血病前段階です。

ですから骨髄移植をしなければ確実に白血病で死ぬと脅されました。治療しなければ五年生存率が二割、治療をすれば五年生存率が四割になるそうです。二割と四割、数字の上では倍ですが、私にしてみれば大差ない。

治療＝骨髄移植をすれば、それにともなう抗癌《こうがん》剤や放射線治療の副作用で烈《はげ》しい苦痛を受け、さらに移植がうまくいっても移植した造血幹細胞が私の身体を攻撃するＧＶＨＤと称される合併症を発症し、さらに免疫がなくなってしまうので、ありとあらゆる病原体から身を守るために無菌室に閉じ込められてしまうそうです。

いやはや、二割や四割といった生存率や、強烈な副作用を考えると、すべてを投げだしてしまいたくなるし、こんな状態で文章が書けるのかという不安は当然あります。

いまの日常生活だって気息奄々《きそくえんえん》です。不調を自覚してからも、小説現代長編新人賞最終選考のために東京に出かけましたが、じつにしんどかった。でも、たぶん、誰も私の不調に気付いていないはずです。

しかも私は、いま〈群像〉その他で連載している二つの作品だけでも手一杯に近いのに、新たにこの〈たった独りのための小説教室〉、そして〈ヒカリ〉という相転移《そうてんい》を題材にしたホラー、徹底した暴力を書こうと目論《もくろ》んでいる〈ハイドロサルファイト・コンク*〉、さらには〈対になる人〉という解離性同一性障害の方の凄まじく過酷な半生を描いた作品を書きたくてたまらず、涼しい顔をして編集者をだまし、たくさんの新連載の依頼を断らず、平然と受けてしまいました。私には書きたい題材が無数にあり、収拾がつかないのです。

病身の現実に鑑《かんが》みれば、意欲だけではどうにもならないのは誰の目にも明らかでしょう。ですからそれなりの枚数を書かなければならない小説連載は、担当編集者と相談して無事生き延びたら書かせてもらうことにしましょう。

けれど、この〈たった独りのための小説教室〉だけは、どのような状態に陥ろうとも生きているかぎりは書くと決めました。

理由は、まだ会ったこともなく、そしてこの先も会うことのない、たった独りのセンスある貴方の手助けがしたいからです。

照れくさいけれど、正直に告白します。私は小説が、正確には小説を書くのが大好きなのです。

ですから三十年ほど続けてきた小説執筆のノウハウを、貴方に伝えたい。次講から、貴方が小説家になるためにはなにをすべきかを具体的に解き明かしていきます。

＊〈ハイドロサルファイト・コンク〉という題名は自身が患った骨髄異形成症候群の記録小説に転用することにし、二〇二二年三月に出版することができました。〈ハイドロサルファイト・コンク〉という題で構想していた本来の小説——認知症の老婆に寄生して生き、徹底した暴力に生きる少年の物語は、機会があれば、また別の題名で書くことにします。

第2講　日記を書く

前講はやや棘《とげ》があった。

でも小説家になりたいだけの無数の貴方にではなく、たった独りに向けて書く。このスタンスはくずしません。

私は、いまだかつて小説を書いたことのない、けれど才能豊かでセンスある貴方を想定しています。読書は好きだけれど、自分が書くなんて思いも寄らない——そんな貴方が望ましい。

そうです。洗脳しようと考えている。無垢《むく》な貴方を小説執筆の奴隷、小説家に仕立てあげようと目論んでいる。幾度か新人賞に応募して二次選考に残った程度の手垢《てあか》のついた人は眼中にありません。

なんだ、今講も、充分に棘々しいではないか。腹立ち苛立《いらだ》ちを覚えた人はこの先を読まないほうが精神衛生上、よいと思います。

ネットの新人賞絡みのサイトで、傾向と対策という言葉が飛び交っていたことがありました。

選考委員は『いままで読んだことのないもの』『絶対的なオリジナリティのある作品』を——といった意味のことを選考で口を酸っぱくして述べているというのに、どうやら新人賞応募者には日本語がわからない人が相当数まぎれこんでいるらしい。

講師の言葉がまったく耳に入らぬまま、中途半端な自我をもてあましつつも、自信のなさから過剰に尊大に振る舞って入試に挑む予備校生の会話じみた雰囲気を感じたものでした。

小説という文章表現は、自分自身で正答をつくりだすものであるということを、貴方は、まず肝に銘じてください。

貴方とはなんの利害関係もない赤の他人に、自身がつくりあげたオリジナルの回答を提示し、納得させなければならないのです。それどころか、そのオリジナル回答によって感動を、カタルシスを、衝撃を与えなければならないのです。

入試ならば正しい解答はひとつだけです。だから傾向と対策を練ることは入試をクリアするためには有用です。

けれど同時に、傾向と対策が通用するということは、じつは、それほど難しいことを求められているわけではないという事実が泛びあがってきます。

重要な関門をクリアする鍵が記憶力であるなら、覚えるべきことを選択して覚えればよいだけのことですから。

傾向と対策を念頭においている人を戯画化して書いてみましょう。ミステリーの腹原権蔵先生は大ベストセラーを連発している。だから腹原先生のような作品を書いたらよいのではないか。いま流行っているのは打野嫁子先生の一筋縄ではいかない恋愛ものだから、その線を狙ってみよう。ふんふん、この選考委員の顔ぶれなら、一捻《ひとひね》りしたあげくに不条理をまぶして、しかもふんわりクレープ仕立てがきっと受けるよな。これこれこういう流れでミステリーが飽きられつつあるとネットに書いてあったし、某新人賞ではここのところ時代小説が受賞し続けているから時代小説で応募してみよう。いや待てよ逆張りで、現代物のほうがいいか。あるいはもっとシンプルに、私、有野儘緒先生が大好きだから、同じようなものを書いてみよう――。

　書いていて、改行するのも面倒で、しかも馬鹿らしくなってきた。いちいち言わなくてもわかりますよね。腹原権蔵先生も打野嫁子先生も有野儘緒先生も、出版業界に一人いれば充分、亜流はいらない。

　こういった種々の傾向と対策を練るのは徒労です。

　小説すばる新人賞授賞式パーティで、どういう具合で潜り込んだのか、悪名高き某小説教室の生徒らしき人から名刺を押しつけられ「選考委員の趣味でしょうか、〈小説すばる〉はこういった傾向の作品が受賞しやすいようですから乗っかったほうがいいですよね」と、したり顔で耳打ちされたことがあります。

　私が遠い昔に小説すばる新人賞を受賞してこの仕事を始めたことを知っていたからでしょうが、朝井リョウが二人必要か？　頭はだいじょうぶか？　と苦笑いを返しておきました。

　つまり、私は〈たった独りのための小説教室〉において、こういった方々を完全に排除すると宣言しているわけです。

　私がこれから小説を書きはじめる貴方に求めているのは、新人賞において、低調な応募作が集まったときに、受賞作なしを避けたい出版社側の意向を汲《く》んで下駄を履かされて受賞した無個性な、けれど完成度だけは水準をかろうじてクリアしている作品ではありません。はっきり書いてしまいますが、じつは、こういった受賞作がほとんどなのです。たいしてたたぬうちに貴方も新人賞に応募するように誘導していくつもりですが、傾向と対策といった愚かな所業だけは行わないようにと釘を刺しておきます。

新人賞の現状ですが、この新人は多少傷もあるけれど、とにかく凄い！　たいしたオリジナリティだ！　とビックリマーク連発はせいぜい五年に一度くらいのものです。

新人賞最終選考の現実は、この人は絶対評価ではなく相対評価で受賞しただけだから、デビュー作だけで消えていくだろうな——という暗黙の了解のもと、選考委員同士が小さく首を竦《すく》めて選考終了ということがほとんどなのです。

傾向と対策が大好きな応募者にふさわしい絶対だの相対だのといった教育評価をもってきて終わってしまう選考の虚《むな》しいことときたら、覚える徒労感は尋常ではありません。

もちろん選考委員も大人ですし、怨《うら》まれたくもないから、当たり障りのない選評を書いてお仕舞いです。

いいですか。抽象的な言葉で褒められたときは、要注意です。それを別の言葉で言いあらわすと、傷もないけれど取り柄もない、ということになります。

この人に次はないな、というときは選考委員も優しくなります。

いやな世界でしょう。こんな世界にうぶな傾向と対策が通用するはずもありません。

小説は、たとえ娯楽一辺倒の小説であっても、人間の心の綾《あや》を描くものです。

この業界には褒め殺しという恐ろしい慣習が蔓延っていることからもわかるとおり、小説を書いて金銭を稼いでいる人間は相当に顚倒《てんとう》した知性と感受性の持ち主なのです。

裏の裏の裏の裏まで読んで、結果、案外まっとうなことを口にする。

軽く裏読みしたあげく、わたしってなんて賢いのでしょうと自惚《うぬぼ》れつつネットなどで拗《す》ねた言辞を吐いてお仕舞いの貴方の居場所などありません。

幾度も幾度もひっくり返ったあげくに口にする『愛こそすべて』は、慣用句のように素直に用いられてしまう『愛こそすべて』とは別物です。

ですから、はっきり書いてしまいますが、職業として小説を書いて金銭を得ている小説家は（よくも悪くも）じつに頭がよい。それは貴方が漠然と思い描いている頭のよさなど追いつかぬほどのものです。

しかも、この職業小説家はたちが悪い。凡人を演じるばかりか、間抜けなふりさえするのですから。

実社会でもこういう具合に拗ねた人はけっこういますよね。でも、はっきりいって演技が未熟だし頭の出来も並の上というわけで、結果、単なる鬱陶しい奴《やつ》か、場合によっては嫌われ者で、煙たがられたあげくに爪弾《つまはじ》きにされ、孤独をたっぷり味わわされる。

けれど小説家と称される人物の拗《こじ》れ具合は病的で、しかも、その拗ね具合には独自性があり、それを文章であらわすセンスがあるがゆえに拗れが金銭に換算されるという稀有《けう》なことが起きるわけです。

じつは小説家という職に就いている人は変質者なのです。

みんなが正解であると信じ込んでいる事柄を疑ってかかって真横、斜め、真上、真下、裏表、ありとあらゆる方向から吟味し、自ら正答をつくりだそうとしているのですから。

その答えが世間の一般常識と合致していても、真に受けてはなりません。その合致は相当に陰険なものです。

これは娯楽小説の作家でもいっしょです。純文学とか娯楽とか、そういったこととはなんの関係もないのです。

純（字面からすると馬鹿の別名みたいだ）だの娯楽だのを超越して、あるレベルから上の小説家は誰のものでもない自身の虚構と視点を獲得しようと、命がけで遊んでいるのですから。

と、若干誇大に煽《あお》ってみました。

貴方は絶対に傾向と対策に安住するその他大勢にならないでください。太宰治ではないけれど、これには自身が選ばれた人であるという誇大妄想が必要です。

しかも、その妄想が外に洩《も》れだすといろいろ面倒ですから、お喋りは厳に控えてください。SNSなどでの発言は、最悪です。言いたいことがあって抑えがきかないときは、それを内緒で文章にしましょう。

喋れば若干頭のおかしい人に分類されてしまいかねませんが、黙っていれば知性的に見えるものです。

さて、いまだかつて小説を書いたことのない貴方に最初の宿題です。

ノートに手書きでもスマートフォンに入力でも、手段はどうでもいいのですが、今日から日記をつけなさい。

どのみち読点でつないで長い段落を構築する力はまだないだろうから（あるいは生まれつき文章センスに優れていてそれが楽にできたとしても）、段落はできるかぎり短くしなさい。箇条書きでは困るけれど、箇条書きに多少色艶がついた程度でかまいません。

その日に起きたこと、思ったこと感じたこと、なんでもかまいませんから、すすっと書き留めてください。

日記ですから、他人に読ませるものではありません。だから好きなように書いてかまいません。

好きなように書く――。

これが重要なポイントです。いいですか。好きなように書いてかまわないのです。

言い方を変えると、好きなように書かなければ、ならないのです。

たとえば貴方は大好きだったXさんに告白して、ふられてしまいました。貴方の淡い恋心はぐしゃっと潰れてしまいました。さあ、好きなように書いてください。

――今日Xさんに告白された。まんざらでもなかったけれど、間近で顔をつきあわせるのは初めてだったので、耳毛が伸びているのが見えてしまい、なんだか滑稽で、しかも気詰まりになってXさんをふってしまった。

好きなように書くということは、ふられたのにふったと書いてよい、ということです。だいたい好きな人に告白するなんて、そうそう有り得ないことですよね。

でも、かまいません。毎日、日記のなかでは大恋愛中でかまいません。

誰かに見せるわけではありませんから妄想を、虚構を、とことん膨らませ、並べあげてみてください。

日記ですから気分で休んではいけません。貴方は毎日、ひたすら嘘を書き続けなければなりません。

次の第3講を読む日まで最低一ヶ月間、一日も休まずに虚構日記を書き続けることが最重要で、しかも嘘の度合いが増せば増すほど、この宿題の点数は上がっていきます。

第3講
偶然に頼らない

毎日、きっちり嘘日記を書き続けて、一ヶ月たちましたか？　あることないこと捻りだし続けることができましたか？

途中で嘘が続かなくなって、あるいはなんとなく面倒になってやめてしまった貴方は適性がありません。小説家を目指すのはやめておきましょう。

剣道の修業でいえば素振りのようなもの。休んでしまうようではだめです。続かなくなってしまうようでは、だめなのです。

だらだら書き綴《つづ》らずに短い段落で書きあげるという制約も与えましたが、きっちり守り通しましたか？

この先、見ず知らずの第三者に貴方が書いたものをすっと理解してもらうためには長いセンテンスを避け、無駄を省いて短く的確に書く技術が必須です。

長い段落を散らからずに構築できたとしても、あえて手管として短い段落で表現する。スタートラインから、こういった強《したた》かさが必要です。

さて、見ず知らずの他人が貴方の書いた虚構日記を読んだときの反応ですが——。

①　ったく、ぐだぐだ、つまらねえ繰り言を書いてるだけじゃねえか。なんてウザいんだ。しかも充たされねえ欲求不満をあからさまにしてるだけだ。下手糞《へたくそ》な嘘を並べやがって。日本語以前。幼稚。鬱陶しい。

②　なんか生々しい。恋愛で優位に立っている奴って残酷だな。うゎー、ここまでするかよ。ひでえな。けど、ふられた奴、ちょい気持ち悪いわ。こうしたくなる気持ちもわかるよな。ふーん。そうか。そうですか。

あれ？　あれれ？　ここ、おかしいぞ。当初の能書きと違うじゃん。整合性ってやつがとれてない。あれ〜、この日記、嘘書いてるのかな。嘘っぽいな、どうも。

③　読んだ人は完全にだまされ、気持ちを昂《たか》ぶらせたり沈んだり、憂鬱になったり頬笑んだりしたあげく読み終えた瞬間、なんともいえない吐息をつき、俯《うつむ》き加減で思いに耽《ふけ》り、印象にのこった部分にもどって再読味読、あげく放心――独白口調は修飾過多といいますか、無駄に行数を使うので③は手抜きして抽象的結論ですませました。

評価①の日記は論外だから退場願うとして（じつは多いのです、このレベルの応募原稿。もちろん真っ先に落とされます）、当然ながら③が望ましいわけですが、初めて書きあげた虚構で読み手を完璧にだましてしまうというのは天才的センスがなせる業、高望みは控えましょう。で②です。虚構日記、最初のうちはうまく読ませていたけれど、あるところで嘘っぽいと読み手が白けてしまった。

この②の独白に含まれている指摘には、虚構における重要なポイントがあります。自分の書いた文章を推敲《すいこう》してこれに気付くことができさえすれば、いずれは③に到達できる、と断言できるくらいに大切な虚構の壺《つぼ》です。

辞書でフィクションを引くと『虚構。つくり話。小説』ということになる。さらに虚構を定義すると『事実でないことを事実らしく仕組むこと。また、その仕組んだもの。つくりごと。フィクション』と元にもどってしまい、意味というものはいつだって輪廻《りんね》を孕《はら》んでいて、苦笑がにじむ。

この堂々巡りから抽出できることとは、小説とは虚構であるという厳然たる事実です。貴方がすべきことは『事実でないことを事実らしく仕組む』ことなのです。

ときどき酒席で「私の人生を書いてくださいよ。絶対に小説になりますよ」といった間抜けなことを口ばしる人がいます。男女問わず、です。

貴方様の人生に興味はございません――と突き放すのも大人げないので、聞こえないふりをします。

が、もし、貴方様の人生が尋常でなく不可解かつ途轍《とてつ》もないものであることを知り、興味を抱き、貴方様に取材して作品を仕上げたとしたら、それはフィクション＝小説ではなく、ノンフィクションです。

定年後にいっちょ書いてみるかと純文学系の新人賞に応募してくる方の作品に多いのですが「若いころ住みこみで新聞配達をして大学に通ったのだが、勉学と勤労の両立はじつに苦しいもので、それでも自身を叱咤《しつた》鼓舞して新聞配達を終え、ふと見あげた山並みから昇る朝日の美しかったこと」といった愚にもつかない思い出話を送りつけてくる方がいます。御自身の奥様、御子様たちがまともに耳を貸さぬ陳腐な苦労話を見ず知らずの赤の他人に読ませようという図々しさには唖然《あぜん》呆然《ぼうぜん》慄然《りつぜん》悄然《しょうぜん》です。

残念ながら評価③ではなく、評価②をいただいた貴方は、もう気付いているはずです。貴方の紡ぎだした虚構は『あるところまで』は、虚構として充分に成立していたのです。いけなかったのは全体に対する目配り気配りが欠けたか、集中力が途切れてしまったか、単に気付かなかっただけか、そのあたりは実際の日記の文章を読まなければなんともいえませんが（くどいですが、貴方様に対して書いているのではないので、編集部にプリントアウトした日記を送りつけたりしないでくださいね）、整合性＝論理体系の構成要素のすべてに一切の矛盾が認められず、論理的に完璧であることが欠けていた。

整合性――。

別の言い方をしましょうか。

小説で書きあらわされた虚構体系は絶対に『偶然』に頼ってはならないのです。

虚構の問題は哲学の方向から書いてしまえば楽なのですが、これは虚構を分析するのではなく、実際に虚構をつくりあげようとしている人に向けて書くものです。真摯に向き合ってくれている貴方のために、あえてそれを避けましょう。

まずは虚構ではなく、貴方が息をしている現実世界の特徴を考えてみてください。貴方がつくりあげようとしている虚構との関係性においてもっとも顕著であり、特徴的なことに思いを馳《は》せてみましょう。

二十年ほど前のことです。渋谷に行く用事があり、新宿で山手線に乗り換えました。どうせすぐ降りるのだからドアの近くに立っていました。

原宿駅でドアが開いた瞬間です。え！　と声がでてしまいました。

相手も、目を見ひらいています。名古屋を本拠にしている悪友が、私が乗っている車両の私の立っているドアのところに『偶然』乗り込んできたのです。

「萬月さん、なによ〜。すごい偶然だね！」

「まったくだ。いつ、東京に？」

「今朝。スカウトのために、原宿の若い子の様子を見に」

「そうか。仕事か。しかし、びっくりした」

「あるんだねえ、こういうこと。どうよ、たまには」

「用があるから付き合えねえ」

「また連絡する。そろそろクエ鍋よ」

渋谷で降りて別れてからもしばらくのあいだ、偶然とはすごいものだと感嘆気味に呆れていました。

なにしろ一切連絡をとっていない名古屋に住んでいる友人と東京は山手線の電車で偶然に会ったのですから。

それなりに混んでいたから、たとえ同じ車両であっても一つ離れたドアから乗ってきたならば、たぶんお互いに気付かなかったのではないか。

　私が立っているドアに乗り込んでくるということは、確率的にまず有り得ないことで、こんなところで貴重な確率を使い果たしてしまうくらいなら、宝くじでも買っておけばよかったな、とちいさくぼやいた——というのは嘘ですが、いやはや現実にはこういうことが往々にして起こります。

　貴方も信じ難い『偶然』に不思議な気分になったことが一度くらいはあるのではないですか。繰り返しておきます。現実世界には、ときとしてこうした『偶然』が起きるのです。

　飛行機に一便乗り遅れ、乗った飛行機が墜落したなどという『偶然』が起きてしまったらたまったものではありませんが、現実にはよいことも悪いことも『偶然』起きてしまう。

　起きてしまったことは現実なので、たとえ現実離れしていても受け容《い》れざるをえません。なかったことには、できません。

　現実には、確率的には有り得ない『偶然』が含まれている。あるいは一構成要素として厳としてある。

　それは巨視的な確率論からすれば『偶然』でもなんでもないのかもしれませんが、自身の身に降りかかってくれば、ふしぎな『偶然』としか言いようがない。

　さて、貴方は期待して購入した新刊の推理小説を読んでいます。不可思議な密室殺人が起きます。犯人は誰だろう、動機その他すべてにおいてまったく見当がつかない。

　これほど複雑な事件をどう解決するのだろうとドキドキしながら頁を繰って残りわずか、いよいよすべてが明かされます。

主人公の探偵は私用で山手線に乗っています。原宿駅でドアが開きました。そこに偶然、いまだかつて会ったことのない犯人が乗ってきました。

探偵はその男の顔を一瞥《いちべつ》して、直感的に犯人であると悟り、堂々と（偉そうに？）おまえが犯人だ！　と指摘し、謎だった密室殺人のトリックを語ります。なんと風が吹いて偶然ドアが閉まって密室がつくられた、というのです。

有り得ませんよね、こんな小説。

偶然でオチがついてしまうなら、なんでもありじゃないですか。

でも、ここまでひどくなくても、あれこれ風呂敷を拡げすぎて収拾がつかなくなり、偶然に頼って結末をつけてしまう新人賞応募作品がけっこうあります。

ところが虚構は基本的に『偶然』を排除しないと成り立たない。

虚構は常に完全無欠な整合性を要求してくる。

理由は、それが虚構だからです。虚構は『偶然』に頼れないのです。

精緻に、厳密に、完全に虚構を組み立てたならば、そこには一切『偶然』の這入《はい》り込む余地はありません。

表現を変えれば、現実について記述された調査報告書の類いは誤謬《ごびゅう》が起きる可能性を否定できません。けれど虚構は誤った記述が構造的に不可能なのです。このあたり、追究したい方は、哲学の書物をあたってください。読むのが楽で愉《たの》しい、自分の好きな小説だけ読んでいると、じつはうまくいきません。

一ヶ月、虚構の日記を書き綴った貴方ならば、薄々直観できているでしょう。

虚構のリアリティは注意深く『偶然』を排除した『整合性』に宿る、ということを。

あるいはあえて虚構に描かれた『偶然』には、じつは意図と必然がなければならず、だから
それはもはや『偶然』ではない、ということを。

第4講

小説にオチはいらない

前回は原理主義的でしたね。記している私自身、若干鬱陶しかった。

でも、感覚的に流されることを是としてしまうと永遠にわからないこともある。

真の虚構という体系は、誤った記述が構造的に不可能であることを悟れましたか？

「うーん、まだ、よくわからない」という人は、じつは厳密な虚構を構築できていないのです。

いまのところ、貴方の虚構はやっつけ仕事であり、手抜き工事です。

ひところ便利な逃げとして盛んに用いられていた『世界観』という言葉を吟味してみてください。

形而上《けいじじょう》学的な言葉ですから安易に用いると小賢しさが漂って墓穴を掘ってしまいますが、統一的な『世界像』を厳密に確立している虚構が高い評価を得るのは当然のことですね。そこには意図的な『偶然』があっても、世界構築の失敗を糊塗《こと》隠蔽《いんぺい》するための苦しまぎれな『偶然』は、有り得ません。

とはいえ、物語という虚構表現の構造上、意図された『偶然』であろうとも、物語の最後のほうで『偶然』によって物語を解決されてしまうと、当然ながら読み手にはモヤモヤが残ります。

　それどころか最後の一節を『偶然』に頼ってしまったならば、そこまでどれだけすばらしい物語が続いていたとしても、すべてが瓦解してしまいます。

　こういった愚を犯さぬためにも、貴方は虚構を『偶然』で処理してはいけません。『偶然』を手玉にとれるのは超越的な小説家のみであり、まさにセンスの問題に帰結してしまう。

　では、物語が行き詰まって『偶然』に頼るような徒労を避けるには、どうしたらいいのでしょう。

　答えは簡単です。複雑精緻な虚構を脳裏に構築できるようになるまでは、ごく単純な筋書きですませなさい。

　自身の程度を虚心坦懐《きょしんたんかい》に見極められること、これもセンスです。筋肉がちゃんとつけば多少の無理もきくようになります。

　でも、じつは、物語の要諦は、単純さにあります。

　ごくシンプルで率直で正統な小説から受ける感動は、ひねりにひねった作品からもたらされるものよりも単純なだけに、強い。

　劣等感などを隠蔽するために複雑かつ難解に振る舞うと、当然ながらあっさり見抜かれます。

　バカは物事を複雑化してしまう——という事実と現実を、胸に刻み込んでおいてください。

　いまから三十年以上前、私は原稿用紙の書きかたも知らぬままプロの小説家になってしまいました。

幸いなことに仕事は途絶えることがなく、職業小説家初年度にして一千万近い額を稼ぐことができました。

バブル経済末期でしたが、新しい小説誌がかなりのコストをかけて創刊される時代でした。〈週刊小説〉という週刊誌形態の小説誌さえあった時代です。いまからは考えられない、よい時代でした。

〈小説すばる〉も当時創刊された小説誌です。私は第二回の小説すばる新人賞を受賞してプロになりました。

私についた担当編集者はY編集長でした。細かいことを書くのは控えますが、私はデビュー前から問題児で、担当の引き受け手がなく、しかたなしにYさんが面倒を見てくれることになったらしい。

それはともかく〈小説すばる〉には毎回作品を載せてもらった。

バブル末期ですから私のような駆け出しもYさんに誘われて銀座のクラブで夜毎《よごと》どんちゃん騒ぎです。比喩ではなく、毎日ハイヤーで朝帰り！だったんですよ。

Yさんは仕事の話はほとんどしません。でも、あるとき、耳打ちされた。

「萬《まん》ちゃん。盛り込みすぎないようにね。小説は、とりわけ短篇は、素材なんて爪の先のごくごくほんのわずかだけでいいんだよ。それでつくりあげられなければ、二流」

〈小説すばる〉以外で初めて執筆依頼を受けたのは、前出の〈週刊小説〉でした。やはり編集長のOさんとJR国分寺《こくぶんじ》駅の喫茶店で会ったのを覚えています。

まずは手始めにエッセイを一本。そして次は短篇小説を依頼されました。

私はボクシングを題材にした短篇を書きあげました。Oさんはじっくり目をとおして、やはり小声で囁《ささや》いてくれました。

「萬月さん。小説にオチはいらないんだよ」

天啓でした。Oさんは「オチがなければ小説を成立させられないのは二流」とは言いませんでしたが、Yさんの言葉と同様のニュアンスが伝わってきました。

そこでOさんの眼前で原稿を読みなおし（私は手書きではじめたのです）、筆記用具を持っていなかったのでOさんに万年筆を借り、最後の段落をバッサリ削りました。それを見たOさんが泛べた笑顔の素敵だったこと！

実際、オチを削ったら、小説が綺麗にふくらんだから、私も満面の笑みです。

威張って書いてしまいますが、書きあげた原稿を編集者に指摘されて訂正したのは、このときだけです。

あまり柄のよいほうではなかったので編集者も遠慮していたのかもしれませんが、書きあげたものを編集者にいじられたり書きなおしを命じられたりといった屈辱的な思いをしたことがない。

私自身、気がちいさく、だから常に原稿は完璧を期してきたという自負はあります。が、なによりも人に恵まれたのです。

素材は爪の先のほんのわずかだけでいい。

小説にオチはいらない。

これらの教えは諸刃《もろは》の剣です。

そもそも理解できない人やチャレンジしてみても出来ない人にとっては、途方に暮れてしまうことでもあります。はっきりいってしまえば文学性に欠ける人にはいくら努力しても達成不能な事柄なのです。

でも、私は大切な編集者から教わった大切な言葉を貴方に伝えたい。

とりわけ情報過多な情況でも悪ずれしておらず、右も左もわからない貴方に対してだけ、そっと囁いておきます。

この二つの事柄を、どうか心の奥にそっとしまっておいてください。いつか貴方の書いた作品が見事にこれらに符合するときがきます。

しかしセンスだけでなく、ついに文学性まで登場してしまった。

鼻持ちならないと吐き棄てる方もいるでしょう。

でも、これは、あくまでも〈たった独りのための小説教室〉です。不快な気分になったとしたなら、申し訳ありません。どうかこの本を閉じて、貴方自身の文学性を自在に発揮なさってください。

もちろん小説という散文表現の幅は広い。『偶然』に頼るような雑な書きかたさえしなければ、情報をたっぷり仕込んだ作品も、オチのすばらしさにすべてを注ぎ込んだ作品も大歓迎です――と小説すばる新人賞選考委員も請け合ってくれるでしょう。

実際に売れる作品は、センスや文学性よりも程々に知性を刺激してくれる娯楽性で世の中に受け容れられているのですから。

前段の、実際に売れる作品云々《うんぬん》の文言も鼻持ちならないと吐き棄てられてしまいそうですが、これは私の本音です。

私は小説執筆を文学追究ではなく、独りで出来る職業として、つまり生活の糧＝金銭を得る途《みち》として選択し、現在に至ります。

ただし小説という文章表現には軽い暇つぶしに奉仕するものから、情と知の奥底を打ち据える重みのあるものまで無限の幅があります。それらに順位をつけるようなことはできない。

順位はつけられないけれど、小説の機能は信じ難いほどに奥深く、売れ行き云々からかけ離れた途轍もない境地があることも事実です。

しかもエンターテインメント、純文学を問わず、これは凄い作品だ！　と息を呑《の》まされるものが慥《たし》かに存在する。ある線から上の感受性と知性をもった者ならば、好悪を超越して認めざるをえない作品がある。

順位をつけるようなことはできないと書いたけれど、実際には、順位、ついてしまいます。

残酷ですが、紙背を読み取ることのできぬ低レベルな読者を置き去りにして――。

ところでエンターテインメント、純文学、どちらも厭《いや》な言葉ですね。

エンターテインメントを辞書で引くと、娯楽、気晴らし、とありました。娯楽でも気晴らしでも演芸でも一向にかまわないけれど、なーんでわざわざカタカナで言わなければならないのか。

純文学に至っては、日本の近代文学特有の名称、大衆文学、通俗小説の対義語ですからね。そういう小説があって然《しか》るべきだけれど、通俗に対して純ですから、なんだか気負いが空回り、相当に頭が温《ぬく》いようです。

卑屈と高慢は表裏、どちらにも痛々しく不細工な劣等感がにじんでいる。でも、もう深入りはしない。区分けできないものが存在する一方で、明確に区分けできてしまうものもある。そのどちらにも情と知を揺さぶる作品がある。

十六歳だったか、読書の習慣のなかった私でしたが、たまたま訪ねた友人のバーテンが不在で、勝手にあがりこんだ彼の居室にあった野坂昭如〈火垂《ほた》るの墓〉を時間つぶしに読んで、身を縮こめるようにして涙を流したことがありました。以来、ドロップの罐《かん》は私の涙腺にとって鬼門です。

とある理由から人妻と日本中を彷徨《さまよ》った二十代前半、彼女が読んでいた半村良〈亜空間要塞〉を小バカにしながら読みはじめたにもかかわらず、止まらなくなって一気に最後まで読み終えてしまい、その間、映画その他からは得られない小説ならではの圧倒的なイメージの愉しさ、昂ぶりに充たされたことがいまでも鮮やかによみがえります。

父親の無頼を縮小したかの矮小《わいしょう》な放蕩生活を続けているさなか、偶然古本屋で手に入れた〈小川国夫作品集〉に収録されていた短篇〈エリコへ下る道〉で、いきなりsacrificeの真の意味を悟らされて打ちのめされ、言葉によって与えられた観念なのに、この境地をどう言葉にしたらよいのかと虚脱気味に茫然《ぼうぜん》としたこともあります。

さて、新たな宿題です。

貴方は童貞ですか。貴女は処女ですか。あるいは手練《てだ》れですか。

異性（あるいは同性）を知っている知らないはどうでもいいのですが、ノンフィクションではなく、あくまでも虚構で、セックスの一部始終を四百字詰め原稿用紙にして四十枚程度を目処《めど》に書いてみなさい。

異性愛、同性愛、問いません。ただし精神的なものではなく肉体的接触、就中《なかんずく》（この言葉、なかなか遣う機会がないので、強引に捻じ込みました）、相手の肉体を合意でも強引でもどちらでもかまいませんから物理的に侵入し侵入され、侵略し侵略される描写を徹底しなさい。

他人に読ませる必要はありません。秘密です。道徳的規範など打ちやって、手加減せずに書いてください。

第5講 セックスを書いてみる

セックスの一部始終を四百字詰め原稿用紙にして四十枚程度を目処に書く。あくまでもフィクション、虚構ですから経験の有無は無関係です。もう脱稿しましたか。はっきりさせておきますが、読むだけで書かない人は覚悟がありませんね。手を動かさないと、うまくいきませんよ。

あるレベルから上の小説家は訪れたことのない土地を平然と書いて、しかもそれは実際に取材したよりも精緻でリアルに描くことができます。

半村良先生に実際にお聞きしたのですが、国土地理院の地図を凝視して架空の、けれどリアルな土地を描きだすとのことでした。現地に赴いて取材すると、興趣が削《そ》がれると仰《おっしゃ》っていました。

セックスに関しても、おなじことです。なまじ経験が豊富だと、それに引っ張られますから、案外つまらない当たり前のものしかできあがらない可能性があります。才能ある人、センスのある人にとって処女であり童貞であることは、武器になるのです。

とはいえ、セックスという題材は難しいでしょう。性的な小説を顔をそむけて忌避してきた貴方にとって、じつに厭な関門です。あるいは性的慾望は人並み以上であっても、体裁を繕って涼しい貌《かお》をつくってきた人にとっても、自身の偽善を暴かなくてはならないといったニュアンスの課題であり、多少なりとも煩悶《はんもん》したのではないでしょうか。

プロは凄いでしょう。恥ずかしげもなくセックスを描く（本当は恥ずかしいんですけれど、仕事ですからね。プロですから）。ぬるぬるぬめぬめ——擬音まで用いる。セックスを題材にした小説は、比喩の宝庫です。読み手をあえて挑発するために『ちんこをまんこにいれて』と露骨な卑語を用いる作家もいるかもしれません。でも、この挑発は、微妙ですね。

即物的に書くとじつに退屈で冴《さ》えないのがセックスです。冷徹に最中の女性の軀《からだ》のありさまを描いてしまえば、解剖台で脚を拡げたカエルだ。

私は男なので自身の滑稽さに関しては頬被《ほおかぶ》りしておきますが、そのものズバリを指し示して書くとセックスが包含している様々な珠玉、生きることの歓びと死にもつながる象徴があっさり霧散してしまう。

もちろん天才は即物的に描いて、総《すべ》てを包含した境地に至るでしょうし、ポルノは文学の重要なジャンルです。

けれど貴方は、小説を書きはじめたばかりです。自身の天才性など当てにせず、愚直に書いてください。

おおむね作家は性行為を、あるいは性器そのものを描くのに比喩を用いて、たとえば花唇《かしん》などと表現します。

あれ、どういうことだ、花唇――書いていて、逆に恥ずかしい。

セックスを題材にした小説は、なによりも比喩が活《い》きるし、重要であると言いたかったのですが、ここで比喩の孕む深刻な問題点も露呈しました。すこし自身で考えてみてください。

企《たくら》みも含めた人前では隠蔽しておかなければならないこと、羞恥をともなうこと、触れてはならないこと、禁忌を描くには、必然的に比喩が必要になってきます。

だからこそ比喩は安易に多用してはなりません。

政治体制に対する批判その他が難しかった社会主義ソビエトにおいてタルコフスキーといった超越的な映画監督があらわれたのには、理由があるのです。

映画全体が壮大なる比喩で拵《こしら》えられているのですから、ハリウッドの紋切り型の比喩のわかりやすい羅列に狎《な》らされた観客には理解が難しい。

けれど観客の側が主体的に作品に対峙《たいじ》していけば目眩《めくるめ》くヴィジョンが迎えてくれる。

自由な表現が許されない社会体制においては比喩が大きな意味を持ってきます。

わからない人には永遠にわからない事柄かもしれないけれど、本質的にセックスと政治は同義です。私にとって政治は人前でセックスをするよりも恥ずかしいことです。

とても重要な事柄ですから、比喩については別の講でじっくり考えてみましょう。

性を描くには比喩が必須ですが、いま、貴方がしてはいけないのは、無駄な比喩を用いることです（もちろん意図のない余計な比喩で飾ることは、どのような小説であっても避けなければなりません）。

比喩をひとつおくにも、徹底して考え抜いてください。某作家の作品に『脱兎《だっと》のごとく駆けだした』とあって苦笑いしました。

『駆けだした』ですむのに『脱兎のごとく』ですからね。

『脱兎』が意図されたものならば、また話は別ですが、こういう具合になにも考えずに紋切り型を付け加えて表現した気になっているのはじつに見苦しい。

手癖は悪いことではないのですが、あまりに無自覚だと、嗤《わら》われてしまうということです。

さて、セックスの一部始終を四百字詰め原稿用紙にして四十枚、他人に読ませる必要なし。個人的な秘密としての習作。だから手加減せずに。

つまり貴方の心の識閾下《しきいきか》まで動員して、たとえ世の中で異常・変態・倒錯・フェティッシュ・ロリ・エログロと称されているようなことでも、誰にも読ませないのですから、徹底的に描きなさい――という宿題でしたが、真の意味で、とても他人に読ませられない危うい作品ができあがったならば、それは大性交です。↑オヤジ満開でダジャレを咬《か》ましてみましたが、少しだけ憂鬱な気分です。やらかした～という。でも罰として削除せずに晒《さら》すことにします。

私はこれと見込んだ相手に対してはなかなかに親切です。

だから、ちゃんと四十枚と指定しておきました。起承転結を割り振れば十枚ずつ。論理的な枚数でしょう。

それに勘の鋭い人ならとっくに理解できているでしょうが、なによりセックスそのものを描けば否応なしに起承転結が整ってしまうのです。

セックスは、まさに起承転結からできあがっているのです。

つまり起承転結を学ぶのにセックスを描くことほど適した題材はないのです。でも恥ずかしがり屋の貴方です。セックスを描いて発表しろなどと命じたらたぶん書かないか、書いても当たり障りのないどうでもいい抜け殻を提示してお仕舞いでしょう。

誰だって濃淡はあるにせよ性欲からは逃れられない。性を忌避する貴方だって、それは性的欲望の裏返しにすぎません。

あからさまなことが書かれていなくたって異性、同性を問わず恋愛感情が描かれれば、その先には必ず性が横たわっている。

性は生きることの象徴であり、実質なのです。だからこそ小説を書く勉強のもっとも初めのうちに、性を容赦なく描き尽くしておくのです。

開き直りを身につけるまでは、こういったことをあからさまに書くのはじつに恥ずかしくてならぬものです。

この羞恥は、克服しなければならないものですが、それは貴方の覚悟次第です。

プロになったら、別に露骨なセックスを書く必要はないのです。それは作品の要求、あるいは読者の要求に従って要不要で判断すればよいだけのことです。

けれど習作段階では、きっちりけりをつけておきましょう。

繰り返します。

他人に読ませる必要はありません。

書きあげたら、秘匿しておきなさい。プロになった時点で、じっくり読み返してみれば、また別の感慨も湧くでしょう。

一応教室なので、起承転結を定義しておきます。〈岩波国語辞典〉によると『漢詩の絶句を組み立てる型。転じて、物事の順序・作法。第一句で言い起こし、第二句でその内容をうけ（多くは対句にする）、第三句で意を転じて発展させ、第四句で結びとする』とのことで、〈世界大百科事典〉によると『起承二句は平直に始めておだやかに受け、第三句でくるりと変化して工夫をめぐらし、第四句は流れを下る舟のように収束させよという。第三句に変化を与えることで、単調を破り、感動を高めるのである』、また『この方法は漢詩のみならず、時間的な経過を持つ多くの芸術のジャンル、戯曲、小説、連続漫画、音楽、舞踏などにも適用することができる』ともありました。

『起承二句は平直に始めておだやかに受け、第三句でくるりと変化して工夫をめぐらし、第四句は流れを下る舟のように収束』ですからね。ほとんどセックスです。それも、肌を合わせた双方が満足しているニュアンスがある。

ただし習作においては、虚構のふたり（あなたの想像力によってはもっと多人数、あるいは単独の場合もあるか）が満ちたりて幸福になる必要はありません。

極端なことをいえば、殺しちゃったってかまわないんですよ。

破綻さえしなければ、モラルその他一切勘案せず（当然ながらリアリズムなんてものも、じつはどうでもいいのです。ただし、リアリズムはいらないと言ったとたんに、自身の意識無意識から逃げだすためにファンタジーに逃げる弱さが貴方にはありそうなので、あえて念押ししておきますが、肉体と慾望の欠如は、この習作においては許されません）、貴方の意思と意志のままに自身の内面を虚構にのせて余さず書きあげてください。

さらに注意しておきますが、貴方が自明と思い込んでいる言葉であっても、必ず辞書を引いて確かめなければなりません。

これはずいぶん億劫《おっくう》なことですが、それをきちっと成しとげるのが、この仕事の本質です。ほんの少しでもあやふやだったなら、あるいは自問して明確な定義が泛ばなかったら、即座に辞書を引きなさい。

この厳密な態度こそが、貴方を虚構における安直な『偶然』から掬《すく》いあげてくれるのです。凡人は、いつだってあやふやに逃げてしまう。あやふやが小説を書けば焦点の定まらない『偶然』に頼らざるをえない。

現実はあやふやでかまいません。虚構のような厳密を押しつけられたら、とても生きてはいけません。

だから実生活はいい加減でかまわないのです。実生活で厳密な奴なんて、私だってそばにいたら逃げだします。

でも虚構をつくりあげるとき、貴方はすべてに対して厳密でなければいられない神経症でかまいません。

いや神経症でなければ、いけません。

そもそもほんとうに神経症は忌避すべきものなのですか？

場合によっては神経症であることがなによりも重要なのではないですか。

みんな、実生活の延長で小説を書いているからうまくいかないのです。

虚構のすべてに目配り気配りすれば自《おの》ずと理解できます。虚構体系は仕組みからして『偶然』を排除し、虚構は常に完全無欠な整合性を要求してくる——ということを。

さて、自由課題じみていながら自分のことという縛りがあった虚構日記とちがって、セックス四十枚は書く内容には無限の選択肢がありますが、あくまでも性交の一部始終であり、起承転結の（絶望的な）縛りがあります。つまり虚構日記とちがって多少は小説の体裁をまといはじめています。

もう一ヶ月くらい、書きあげた四十枚を徹底して推敲するもよし、あらたなセックスの一部始終を書きはじめてもよし。

もし、まだ書きあげてないならば、とにかく書きあげなさい。

貴方はプロを目指しているのですから、四十枚という枚数——制約はこの習作の絶対条件です。厳守しなさい。

第6講 起承転結

課題を書きあげましたか。起承転結は決まっているのだから簡単なことでしょう。しかもたかが四十枚、仕事や勉学があったって一日に三枚書けば半月もせぬうちに完成だ。まさか起承転結まで用意してもらった題材で書けない！となると、小説に対する適性に問題があります。

他の題材なら書けそうですという貴方には、甘えるなという言葉で突き放します。売れ行きに活を入れたいときの定番である性の特集をはじめ娯楽小説誌は当然のこととして、純文学の小説誌だって統一テーマで書かされるのですよ。それできっちり書けるのが、プロだ。貴方は趣味に小説を書くのではない。仕事として、職業として小説を書く。つまり原稿料、金銭をもらう。どこの誰が依頼から外れた仕事に金を払うか。

小説家といえば恰好いいけれど、金銭が絡む以上、そして多様なジャンルがあるにせよ、していることの本質は「マクドナルドへよ〜こそ」とつくり笑いを泛べてハンバーガーを供するのとおなじです。

それが厭なら趣味的同人誌で遊んでいなさい。もちろん貴方が創作の天才ならば、私の出る幕などありません。

　と、皮肉っぽい厭味を書きましたが、貴方は何よりもまず自己客観化をものにしなければなりません。

『能力の低い人ほど、なぜか自分を「過大評価」する』という有名な言葉がありますね。私は読んだことはないというか、目を通す気にもなれないのですが、ビジネス書などによく書かれているのではないですか。

　これ、真面目な研究の結果なんです。コーネル大学で人の認知について研究していたデヴィッド・ダニングとジャスティン・クルーガーが、学生に対して『論理思考』『文法』『諧謔《かいぎゃく》＝ユーモア』についての試験をして、さらに試験を終えた学生たちに自分の成績がどの程度であるかを予想させたのです。

　その結果『現象的に実際の評価と自己評価のズレが生じる、または認識に誤りが生じる＝能力の低い人ほど自身の未熟さや他人のスキルの高さを正しく認識できず、その結果、自分を過大評価する』という認知バイアス、ダニング・クルーガー効果が発見されたのです。逆に能力がある人は、自身を過小評価するという結論も得られました。

　ネットなどでは、偉そうな言辞を吐くダニング・クルーガー効果の実例が蔓延っています。ネットって、中学生の巣窟ですね。

　ところが（中学生に対して失礼ですが）このネットの中学生の巣窟以上に認知バイアスによって自身を過大評価する有象無象の未熟者が大量に群れている地獄が、小説家志望者の世界です。

　ダニングとクルーガーが行ったテスト『論理思考』『文法』『諧謔＝ユーモア』は、まるで小説家の資質のテストのようです。貴方がこの三つのテストを受けたら、どのような結果がでるでしょうか。自身を過大評価する愚だけは犯さないように。

　さて、起承転結。ずっとこの文章を読んでいる貴方は結に引っかかりを覚えていませんか。なにしろ『小説にオチはいらない』と強調されていますからね。

　でも結はオチではないのです。『流れを下る舟のように収束』という結句の解説を吟味してください。流れを下る舟を想い描いてください。

「おまえが犯人だ！」といった完璧なオチこそが推理小説の醍醐味《だいごみ》ですが、『流れを下る舟のように収束』には、この完全完璧なオチがつくといったニュアンスは、ほとんど感じられません。

　推理小説などの論理に特化した小説は、その機序から論理的な解決を提示しなければならない。当たり前のことです。

　けれど論理――知よりも情や意を描いていくと、いろいろ理屈＝知では割り切れなくなってくる。

　真っさらな貴方のために注釈を加えておくと、情や意の場合の意は意味の意ではなく意志の意です。知・情・意とはカントが提唱した人間の精神の三要素です。

　理屈＝知では割り切れない何ものかを描くとなると、文字どおり理屈が通用しなくなってきます。

結果、オチという断ち切られた気配ではなく、突き放したり、追いすがったり、希望を抱いたり、諦めたり、あがいたり、受け流したり、拒絶したり、失望したり、死んでしまったり、生き抜いたり――と無限の選択肢が発生する。

そもそも論理で鮮やかに解決する推理小説の大きなテーマである殺人には、必ず欲望や嫉妬怨恨といった感情や意志（道徳的評価の主体にして客体であるもの。利己的な知性や欲動に支配されがちな感情を思慮的に選びだし、決心して実行する能力のことで、知識および感情と対立するものとされています）という側面がある。いや、あるべきです。

それをきっちり描いていないと探偵の知性がメカニカルなものに沈んでしまい、ただのチープなゲームになってしまう。

もちろん虚構ですのでゲームに特化し、徹底して数学的な美をあらわすという考えも成り立ちますけれど。

ここでは深入りしませんが、アンモラルというならば、こういった遊戯的推理小説で描かれる殺人こそがもっとも不道徳です。

もちろん知的ゲーム（虚構）として成立しているのだからめくじらを立てる必要もないし、糾弾するのは筋違いというか、言いがかりのようなものですが、モラルの底の底まで思いを致せば様々な感慨が泛びあがります。

話を元にもどしましょう。知性と感情と意志の相克から泛びあがる詩情はえも言われぬものですが、表現するには相当に厄介なもので、だからこそ知情意の三要素が絡みあった小説が文学の主流になり得るわけです。

描かれているのが急流でも濁流でも激流でも清流でも暗流でも底流でも群流でも泥流でも暖流でも寒流でも逆流でも貫流でも順流でも伏流でも奔流でも湍流《たんりゅう》でも、私はいつだって流れを下る舟に行く末を、明示されていない未来を見てしまう。

『小説にオチはいらない』ということの本意は、いままで描いてきた詩情を最後の最後で殺してしまうくらいならば、むりやり流れを断ち切る必要はない、ということに尽きるのです。

結末が、未来へ、彼方へ拡がっていく。本を閉じた読者に、無限の余韻を与えることができる。理想的ですね。

形式といえば、起承転結という絶句の構成法と同様に文章の構成に転用されている形式に序《じょ》破急《はきゅう》があります。

舞楽において序は初部で無拍子《むびょうし》、破は中間で緩徐な拍子、急は最終部で急速な拍子とのことですが、音楽とちがって文字で表現する小説では筋書きを重視した作品や、早めに世界観を周知しておきたい作品では序が説明的で、無拍子という風情ではない場合が多々あります。

けれど、それは表面だけで、書く方の生理も相まって拍子に塡《は》まらない導入楽章ならではの揺蕩《たゆた》いが読者にも伝わり、それが虚構に引き込む鍵となっているものです。

ですから漠然と導入部を執筆するのではなく、自分（作者）の緊張や揺れが読者の感情や生理に対してどのように作用するか、徹底的に思いを巡らせて導入部をつくりあげていきなさい。

破は雅楽では拍子が次第に細かくなってゆき、変化に充ちてくるあたりです。

作者も手探りの慎重さから放たれて即興的に基本の和音に9thや13thといったテンションも加えてシンコペーションも自由自在、読者は胸を高鳴らせながらも物語の流れに安心して身をまかせられるという状態をつくりださねばなりません。

それが出来なかった小説はどうなるか。途中で投げだされて、お仕舞い――。

うまく破をクリアすれば、急で一気にたたみかける。ただし小説においては音楽のように急速度（実際にテンポが速くなくても急速度は有り得ます）で終局へ、という遣り方だけではないのはセンスある貴方ならば直感的に把握できているでしょう。

拙著〈信長私記《しんちょうしき》〉および〈續 信長私記〉は序破急を用いて執筆されています。序破急の試みが隠されているという実例として引いておきます。文庫の棚で見かけたら、一篇一篇が短いのでたいして時間もかかりません。そっと幾篇か立ち読みしてみてください。

この作品は正・續ともに全篇にわたって一回三十枚――序破急それぞれ十枚で縛って書いてあります。

連載開始時に自分から言い出したことですが、刀剣のこと、味覚のこと等々、ただの戦の話ではなく、抽象を扱うには三十枚はじつに心許《こころもと》ない枚数で、工夫するのは愉しく充実していましたが、これを長い連載で繰り返すのはしんどいと逃げを打ち、豊臣秀吉を描いた〈太閤私記〉では、起承転結にもどしました。

けれどいくらでも拡げられる逸話を、描写を省きに省いて抽象度の高い三十枚の序破急でまとめあげていくことは、私の小説執筆において一段背丈を伸ばすための大切な目論見でもありました。

貴方も物を書くときは、いつも必ずなんらかの縛りを自身に与えなさい。

好きなように書く。自由に書く。

そういうことを口にする人に限って、自由どころか無様な紋切り型を提示してくるものです。『人間は自由という刑に処せられている』というサルトルの有名な言葉があります。これだけを抜きだすと誤解を招きかねませんが、まあ、誤解曲解も理解のうち。なにも考えないよりはましだ。

あえて言っておきますが、貴方は自由という呪いを意識して、常に自由から等距離をおいて必ず客観を心がけなさい。

これこそが『能力の低い人ほど、自分を過大評価する』という無様な境地から貴方を救いだしてくれます。

蛇足ですが〈信長私記〉は一人称の小説ですから、自らを指す『俺』という言葉を用いています。

けれど〈續 信長私記〉では、信長が自身を人ではなく神（在るものである）と規定したという想定で、『俺』に類する自らを指し示す言葉を一ヶ所以外、完全に排除してあります。

日本語の優れた特質なのですが、主語を省いても文章を（もちろん日常の会話も）成立させられるのです。

するりと読みながすと気付きもしないでしょうが、こういった試みは愉しいだけでなく、小説の大胸筋とでもいうべき部分をどんどん厚く、しなやかにしてくれます。

貴方は抽んでたセンスの持ち主ですから他人にあれこれ言われてするのではなく、常に自身に対して課題を与えて、それをクリアしていってください。

その他大勢に理解されたいがために自ら関門を低くすると、これは個々の性格の問題でもありますが、将来作家として立ったとき、お金は儲《もう》かるかもしれませんが、うまくいけばいくほど心窃《ひそ》かに安っぽい文学的劣等感に苛《さいな》まれるようになります。

金か名誉か。

表現者に必ずついてまわる選択です。この二択に対する立ち位置は自分で決定しなければなりません。

正確には自身の資質を冷徹に見極めて、選択する。

これは親にも友だちにも誰にもまかせられません。自分で決めなければならない。

そのためにも、まずは起承転結にきっちり則《のっと》った（誰にも見せない）四十枚を書いて、しばらく時間をおいて推敲がてら、自分が金を稼げる娯楽小説に向いているのか、金はともかく名誉を得る可能性のある文学の方面に進むべきなのか、自己決定してください。性は、それを知るのにもっとも深く適した題材でもあるのです。

はっきりいって私の父のように金も名誉も手に入らずに死んでいく人がほとんどです。その一方で、ごく限られてはいますが金と名誉を手にする人もいる。

名誉
金

こういう過酷な争いからは身を引いて、見物する側にまわりたいものだという思いが少しでも忍びいるなら、小説家を目指してはいけません。

受け手のまま――読者のままで、ラーメンの味を評価するように美味《うま》い不味《まず》いと言い散らしていればよい。そのための対価として書籍代があるというのは極論ですが。

でも生きるということには逃げだして負けることも含めて否応なしに選択がついてまわる。選択を避けたいならば小説家など目指すべきではありません。

人の究極の選択に自殺があります。飛躍ではありません。貴方が小説を書くと決めたそのほんのすぐ先に、じつは生死が隠されているのです。表現とはそういうものなのですから、いやはや、たいへんだ。

それでも、あるいは、ですから貴方は選択しなければなりません。なにせ人間は自由という刑に処せられているのですから。

第7講　百点満点はいらない

起承転結の『結』についての結びです。

結とは結ぶという意味です。当たり前のことを書いているのでどこか妙な気分だけれど続けます。

たいした手間でもないし実際に紐《ひも》を手にして結んでみてください。なにができあがりましたか？

結ぶことによってあらわれたのは『円環構造』です。ゆるく結ぶか、きつく結ぶかは、貴方次第。小説の表現に対する手管に通じるものがあります。

さて、誰にも読ませない秘匿の四十枚、書きあげましたか。いや、秘匿の四十枚を幾篇書きあげましたか。

積み重ねということは凄いことで、一日三枚でも欠かさず書いていけば、一ヶ月のうちに四十枚の短篇が二篇書けてしまう。

一日も休まずに書けた貴方は有望です。書けない――と頭を抱えて紋切り型の小説家を演じた貴方は、他に仕事をさがしたほうがいい。

書けない日は、ひたすら無為な会話の連続でもいいから自身が決めた規定枚数を書きあげてしまいなさい。

この人たちなら、こんな無駄話をするだろうな――というニュアンスで書き進めていってかまいません。

唯一注意しなければならないのは、説明的な会話を避け、日常会話（正確には、これに説明をになわせるのですが、いまはそれを考えないほうがよい）を用いて、その小説にふさわしいリアルな無駄話を目指すこと。

小説家という仕事は、とにかく書いた者が勝つ。書いた者勝ちなんです。

というのも三枚、五枚、十枚と会話だけを並べていくうちに絶対に新たな展開が貴方の脳裏に泛びます。貴方が考え、思いつくというよりも、会話を重ねることによって小説内のキャラクターが勝手に動きはじめるのです。

登場人物が貴方の手から離れて勝手なことをしはじめたら、しめたものです。まかせてしまえ。

心配性の貴方は四十枚という枚数が気になって、登場人物にまかせて収拾がつくのかと不安になってくるでしょう。

でも、その不安は無意味です。オチ、いらないんですよ。『流れを下る舟のように収束』すればいいだけのことなんですから。

規定枚数を超えてしまったならば、延々書いた会話部分を、重要なポイントだけ残してざっくり削除してしまえばいいだけのことです。

人間は、よくも悪くも必ず辻褄合わせをしてしまう習性をもっている。

貴方だって日常でいろいろミスをして、けれど案外巧みに辻褄《つじつま》合わせをしているではないですか。

偶然性に支配された日常でさえそうなのだから、偶然性を排除せざるをえない虚構ならば、虚構が本来孕んでいる『整合性』が結末をつけてくれます。

虚構の『自立性』を信じなさい。

貴方がきっちり虚構を構築しているならば、虚構それ自体が貴方の小説をつくりあげてくれる。自明のことです。

私の見たところ、うまくいかなくなったときの言い訳を無意識のうちにも考えてしまって、ほんのちいさな蹉跌《さてつ》で、あえてうまくいかなくなったときの理由をむりやり拵えてしまうような主客転倒した人も多い。

どうせ、誰にも見せない作品です。誰にも読ませないのだから、ないに越したことはないけれど、傷など、どうでもいいではないですか。

とにかく規定枚数をきっちり書きあげるのです。書きあげたら、抛りだします。作品の手離れのよいことはプロとしてやっていくための重要な資質です。次の作品にとりかかりなさい。

初心者の貴方には書きあげた直後の推敲は無理です。半月ほどおいて読みなおし、大胆に赤を入れていけばいい。

デビュー当時の〈小説すばる〉Y編集長の助言を、いま、もうひとつ思い出しました。

「萬ちゃん、百点はいらないから。そのかわりプロなんだから依頼を受けた仕事は、必ず七十点以上とって。言い方を変えるとね、七十点とり続けていれば、ずーっと仕事は続いていくから」

周囲を見渡して、しみじみ思う。やたらと自己評価の高い自意識まみれの作家が、書く前からあーでもないこーでもないと悩み、手を動かす前に百点満点を目指して脳裏で無駄なシミュレーションを繰り返したあげく、書けなくなってしまって消え去っていったことを。

あるいは虚構それ自体を信頼していないことにより虚構に裏切られて毎回五十点しかとれず、いつのまにか業界から消えてしまったあの人のことを。

はっきりさせておきましょう。センスのある人にとっては、わりと気楽な稼業なんですよ。七十点とればいいんですから。

誰も新人の貴方に百点満点を求めていません。私が編集者だったら、出来不出来の振幅が大きな人に仕事を頼むのは博奕《ばくち》めいていて、ちょっといやだ。

その作家が抽んでた独自性を持っているならば、振れ幅の大きさも込みで依頼するけれど。でも抽んでた独自性云々は作家自身が判断することではないですよね。

自負心は必須だけれど、自身に幻想をもたないことも大切だ——『能力の低い人ほど、自分を「過大評価」する』。

定食屋があります。ためしに食ってみた。見てくれはよくないけれど、案外美味い。翌日の昼飯も、そこで食ってみた――不味い。

でも最初の印象がありますから、その次の日もそこで食ってみた――絶望的に不味い。もう、そんな店では食いません。初日（新人賞受賞作）は、まぐれで美味かったんだな、と判断を下します。

こうならないために、必ず七十点以上とりましょう。貴方だって定食屋に求めているものは、それくらいの点数ではないですか。

いきなり文壇の寵児《ちょうじ》、ラッキーボーイ（ガール）といった薄気味悪い妄想を棄て、常連客を獲得することを主眼においた新規開店の定食屋になったつもりで気負わずに書いてください。

あの店なら、絶対にはずさない――という評判が立ったなら、しめたものです。貴方は原稿料を戴きながら小説執筆の実際を学ぶことができるのですから。

ところで、貴方は小説を書きはじめたことを周囲の誰にも言ってはなりません。自己顕示欲があることは理解しますが、沈黙を守りなさい。

これは職業作家になっても続くことなのですが、小説家と書いて孤独と読む――と戯《ざ》れ言《ごと》を口ばしりたくなるくらいに小説家の仕事は孤独です。どんな人気作家であっても執筆中は独りなのです。

小説誌のグラビアに載る文学賞のパーティなどの華やかさから思いちがいをしてしまいがちですが、日常的にはひたすら引きこもって独りで執筆しています。

売れっ子のなかには家族さえもじゃまに感じて仕事場に出勤する人さえいるのです。つまり、独りにならなければできない仕事なのです。

貴方が口を滑らせると、よけいなものを背負《しょ》い込みます。初めのうちはいいのです。でも、親でも同僚でも、やがて結果を知りたがるようになります。それも他人のことですから性急です。

一年くらいはいいけれど、二年もたてば「まだ書いてるの？」と問いかけられるかもしれない。

そのときに、たまたま自信喪失していたりしたら目もあてられません。問いかけられなくても結果をだせずにいれば、やがて他人の目が気になります。

自身が小説を書いていることを、いつ明かせばよいか。新人賞を受賞してからおもむろに他人事《ひとごと》のように皆に言いなさい。

ただし、たかが新人賞です。舞いあがらぬよう。貴方はとんでもない競争社会に身を投じたのです。七十点以上の原稿をコンスタントに発表していかなければ、貴方は消滅してしまいます。

それに鑑みれば、新人賞を受賞しても沈黙を守るという遣り方もありますね。

はっきり釘を刺しておきますが、小説家になるということは、会社員になるのではなく自営業に身を投じるということです。

それも相当に競争がきつい業界です。ベストセラーを連発し大きな文学賞を受賞して編集者にちやほやという子供じみた妄想は棄てなさい。仕事がなければ飢え死にです。ましてこの出版不況です。それでも書きたい貴方だけにこうして囁いている所以です。

表現衝動が尽きず、無限に書きたいことがあり、しかもその虚構に需要がある人だけが生きていける場所なのです。

大げさだと思いますか。現実に小説家になったら、私の言葉をいやというほど理解できます。新人賞を受賞しても次に書くことがなく、消えていく。いくら書いても掲載してもらえない。そんな徒労のあげく、逼塞《ひっそく》していく。九割方は、そうやって消えていく。

ベストセラーを連発し、大きな文学賞を受賞して編集者にちやほや——。

スターに憧れる心理は私にだってわかりますとも。誰だって超越者になりたい。私のような中卒の阿呆という例外もありますが、世間様が小説家に注ぐ眼差《まなざ》しは、なぜか知性と結びつけられることが多く、少なくとも頭が悪いとみられることはないでしょう。

このあたりに小説家志望が大量に蔓延っている理由がありそうです。

インテリコンプレックス。凄まじく厭な言葉ですね。数あるコンプレックスのなかでも自身がバカであるという秘めたる自覚と表裏なだけに最悪だ。

しかもバカの特徴なのですが、バカは自分がバカであると自覚していないから、永遠にバカなのです。

貴方のまわりにも、こういう小賢しいバカが大繁殖しているでしょう。そこへ、わざわざ小説を書いているなどと明かそうものなら——以下略。

表面上は何事にも動じないふうを装ってはいるけれど、ただでさえ脆《もろ》く繊細で神経症的な貴方の感受性です。

よけいなことを口にして自身の精神を崖っぷちのぎりぎりに立たせるようなことをしないように。

あ、そうだ。ちゃんと紐を結びましたか。面倒くさがらずに実際に紐を結んだ人は、小説を書くときでも手を抜かない。結んだ貴方は有望です。おっと、いま結んでも遅いですからね。

第8講　嘘をつくセンス

第1講の走ることについてのたとえを覚えていますか。

なにもランナーなど持ちださなくともよかったのですが、人の脳内に組み込まれた言語に対する遺伝子のことを扱うのは尚早にすぎるという判断でした。

ここであらためておさらいの意味も含めて小説家と言語についてを記しておきます。

音楽家や画家には明確な基礎的基準があります。楽器演奏技術。デッサン。

音痴なプロの声楽家は存在しませんよね。絵のうまいへたも小学校低学年あたりでクラスの絵のうまい子との明確な差を感じとり、へたな子は図工の授業で強制されたとき以外ではなんとなく絵を描くのを控えるようになっていく。

私はとても絵が上手で、威張ってしまいますが（年上の絵の巧みな少年を真似《まね》て工夫したのですが）幼稚園の年頃でたとえば零戦の翼その他、ちゃんと遠近法に則って立体的に描くことができました。

プロフェッショナルレベルでなくてもかまわないのですが、ある水準以上の絵が描けることは小説を書くことにおいてとても大切な要素になり得ます。

私は幼いころ斜め前方、やや上方から見た零戦の左右の翼を脳内で正確に描くことができたから、小説家になれたとさえ思っています。

また、下手くそではあるけれど管楽器をはじめギター等楽器を弾けることも小説執筆における律動その他に大きく寄与しています。

貴方も手すさびでかまわないから常にメモ用紙の片隅に絵を描き、楽器を弾いてください。どちらも人様に見せたり聴かせたりする必要はありません。

音楽家は演奏技術。画家にはデッサン。

では、小説家は、文章技術ですか。

文章技術、さしあたり伝達のための文章が書けること——ですが、よく周囲を見まわしてください。喋れるのと同様、程度の差はあっても文章なんて誰にでも書けてしまうのではないですか。

小説家になろうなどと欠片も思っていない大多数の人も、LINEなどでメッセージのやりとりをしてきっちり伝達（言語の本質です）しているではないですか。

はっきりさせておきましょう。言語と演奏技術やデッサン力はまったく別物です。

他の動物の子供とちがって、人間の子供は三歳をこえたあたりから迸《ほとばし》るかのように複雑な文を話すようになります。

四歳くらいになると、親を言いくるめるくらいに言語の発達をみる子供もいます。

言語の障害がなければ、子供は母語の習得に失敗しません。

一方で大人になってから外国語を勉強しても、理論的な面はともかく発音などをものにするには努力ではいかんともしがたい微妙な限界がある（関西に移ってから習得した私の似非《えせ》関西弁も、簡単に見破られます）。

チョムスキーは、言語には遺伝的要素があると考えました。

人間だけなのですが、言語機能と称されるある種の認知機能を司《つかさど》る部位が脳にあり、子供には遺伝的に普遍的な文法が生まれながらに備わっていて、これがパラメータ設定値次第でどのような個別言語の文法にもなり得る（子供はどのような言語でも学ぶことが可能な潜在能力をもっていて、周囲の環境に合わせて「たとえばアメリカンスクールに通えば米語を」話せるようになる）と説きました。

普遍的な文法の話をしましょう。語順ですが、世界中の言語には大差がありません。文の基本要素である主語、目的語、動詞は六つの組みあわせが可能ですが全人類が用いる語順は主語＝目的語＝動詞、主語＝動詞＝目的語、動詞＝主語＝目的語という三つの型に収束します。

日本語は主語＝目的語＝動詞ですが、これは世界中の言語の五割弱を占める一番の多数派です。英語などの主語＝動詞＝目的語は四割弱で二番目です。世界の言語はだいたいこのかたちで、主語が他の言語的要素よりも先にくるという特徴があります。第三位の少数派、動詞＝主語＝目的語も主語が目的語よりも先にきます。

つまり言語の論理は世界中のどのような言葉であっても普遍文法に従って構築されているのです。

全人類が普遍的な文法に則って言語を操っているのだから、日本生まれの幼い子供が香港で育てば脳の遺伝的言語機能を用いて苦もなく広東語《カントン》をものにする。

もはや言語を操るということは楽器演奏や精緻なデッサンとちがって、特別な才能やセンス、習練を要する特殊技能ではないということがわかってもらえたでしょう。なにせ言語をものにする脳の部位がはじめから存在しているのですから。

私の世代は、手書きで手紙を書き、直接手わたしたり切手を貼って投函したりしていました。ラブレターらしきものを書いた記憶はあるけれど、滑稽なほど自意識過剰でした。いまは手書きはメモを取るときくらいで、やりとりのほとんどはメールです。手書きにくらべれば楽ですが、それでも面倒臭いと渋面をつくって編集者への返信を滞らせる。小説家はけっこう筆無精なのです。

でも虚構を記すのに比べると、いつどこで打ち合わせといった仕事のための伝達事項が退屈なのは当然ですね。実利的なものはいつだってなんだって、つまらない。

なにが言いたいのかといえば、小説家になる気などまったくなかった思春期の私であっても、生意気に女の子を口説く文章など書いていた、ということです。

自惚れもあり、これだけ巧みな文章、名文ならば狩野千代乃さん（実名をだしてしまった。ま、半世紀前のことだし許してもらいましょう）も絶対なびく！　などと舞いあがり、見事にふられていました。

ああ、書くのがいやだ。凄く、いやだ。でも、頬被りするわけにもいかない。だから書きますけれど、私も十七歳くらいのころ、ノートに詩を書き綴ったりしていました。

当然ながら私の書いた詩には『陳腐な』という枕詞《まくらことば》が必要です。はい。陳腐でださい詩をひねりだし、得意げに（場合によってはイラストなど付け加えて）記していました。

もっとも自意識過剰ゆえに、こういう自瀆《じとく》に似た恥ずかしい行為はすぐに卒業してしまい、以後、三十歳を過ぎて小説家になって金を稼ごうと思い立つまでは、字を書くということとは無縁な生活を送ってきました。

こんな恥をさらしてまでなにが言いたいのかといえば、文章なんてすべての人類が生得的に書いて喋れるものであり、ゆえにちょっと気の利いた文章が書けるから（十七歳の私です）といって、安易に小説家になろうなどと思い立ってはいけません——ということです。

第3講のフィクションの定義『虚構。つくり話。小説』を思い出してください。

人類であれば、喋れる。国語の点数に開きはあっても日本で教育を受けた人なら程度の差はあっても、日本語の文章を書ける。つまり音楽や絵画とちがって、誰にでも文章が書けてしまう。ここに小説家を志してしまう人の悲劇（喜劇）があります。

もちろん文章センスというものもありますが、これは音痴に似ています。音痴の人は、自分がだしている声が正しい音程から外れていることに気付かない人だそうです。

見事なほどに外れているのにカラオケで思い入れたっぷりにマイクを握りしめ、朗々と歌いあげて余韻に目を瞑《つぶ》って立ち尽くす。

音楽センスのない人の典型ですが、音楽とちがって生まれつき言語を操れることもあって錯

第8講　嘘をつくセンス

覚の度合いが音楽や絵画とは別次元の濃さ、深さであるのが小説と小説家という職業に対する安易なアプローチの元兇《げんきよう》です。

ここから先は極論です。ただし、真実の正論です。

小説家という職業にまず必要なのは文章センスではなく、虚構をつくりあげるセンスです。開き直った物言いをすれば、嘘をつくセンスです。

貴方のまわりにいる嘘つきをじっくり吟味して掘り下げてみてください。なんでも場当たりで口にしてしまう虚言癖《きよげんへき》はともかく、詐欺師的な周到な嘘つきっているじゃないですか。

話がずれるけれど、私は自称無頼という某書評家に金を貸してくれと泣きつかれたことがあります。この書評家の嘘がじつに無様で下手糞で、だから逆に言われるがままに金を貸してあげました。

もちろんもどってくるなんて思っていません。冴えない詐欺の催促で幾度も嘘の電話に付き合わされるくらいならば、言い値の五十万で片を付けてしまおうという投げた態度でした。

そして、その直後から編集者たちに某書評家に私の作品の書評を絶対に書かせるなと命じておきました。

それは、そうですよね。金をくれてやった奴に褒めてもらっても意味がない。というか読者に対する詐欺になってしまうではないですか。これは道から外れまくりの私のモラルなのです。

この書評家のように嘘が嘘になっていないだめな嘘つきはともかく、周到な嘘つきはありとあらゆる場合を想定して綻びを回避します。万が一、ここでこういう具合になったらこう言い逃れて、さらにこの部分を用いて自身のアリバイをでっちあげ云々と綿密にシミュレートして絶対にぼろをださぬ嘘＝完璧な物語をつくりあげるのです。

結果、貴方は、だまされたということに気付きもせずに、嘘つきをいい人だと信じ込んでしまう。

結婚詐欺師には、たとえば旅客機のパイロットなどと平然と口にしてあっさりだましてお金を巻きあげてしまう凄い人がいる。

パイロット。端から見ていると噴飯物《ふんぱんもの》だ。でも、相手の自意識や肥大した願望に完璧にあわせて詐欺師は『相手の求めているもの』に化けてあげるのです。しかも細部をきっちり詰めておろそかにせず、徹底して破綻を防ぐ算段をする。

詐欺師が口にする偶然は、じつは仕組まれた必然であり、けれどだまされるほうはすべての都合のよい話を『偶然』と判断し、それに身も心も委ねてしまう。すべてが嘘だったと気付くのは、有り金をぜんぶだまし取られてからです。

虚構なんて恰好いいことを言ってきたけれど、もう、わかりましたよね。文章は誰にでも書けます。

けれど『偶然』を排除した『整合性』が徹底した虚構をつくりあげること、それは誰にでもできるというわけではありません。

さしあたり小説家＝文章センスという安易な思い込みを棄てなさい。小説家に必要なのは徹底した完璧な『嘘』なのです。

第9講 新人賞に応募する

今回から、いよいよ実戦＝新人賞応募を念頭に勉強していきます。

まずは描写と説明についてを記していくつもりですが、たぶん私の頭の中にあるデータ量その他から勘案すると、そこに辿《たど》り着く前に枚数を使い果たしてしまうでしょう。でも、いま以降『描写と説明』の違いということを常に意識して、新人賞応募作になにを書くか、じっくり練りあげてください。

ここまで学んできた貴方は、単に小説を書くという漠然とした（アマチュアにありがちな）境地からは、もう脱しているはずです。それでも勉強の意味合いも含めて、多作が望ましい。どんどん書いて、どんどん応募してください。小説とは虚構であるということが真の意味で理解できている貴方は、小説誌の新人賞に応募し、金銭を獲得することを念頭において作品を書かねばなりません。

賞金。印税。原稿料。小説を書いて金をもらったとたんに、不可思議なことに、貴方の小説は別種のものに変化してしまいます。

貴方の小説が金銭という価値で評価されることの真の意味は、貴方の書きあげた虚構が金銭という虚構に合致したということなのです。

　小説家という職業に就くということは、自身が創りあげた虚構を金銭という虚構に変換することであり、それができて、はじめて成立するものなのです。

　これを成しとげることができぬ人がいかに御立派な御高説を垂れようと、無意味です。ネットという無料奉仕の場でせいぜい自己顕示欲を充たしてください。

　貴方は自身の言葉で語り、それを見ず知らずの大多数に聴かせることができるようになるために、つまり自身の虚構を金銭という虚構に変換し、流通させるために、まず新人賞という関門を突破しましょう。

　紙幣が発明されたのは漢《かん》の武帝《ぶてい》の時代で、まだ紙が存在しなかったので皮幣《ひへい》だったそうです（紙自体も後漢《ごかん》の蔡倫《さいりん》の発明とされていますね。金銭でも書籍でも、じつは中国のお世話になりっぱなしだ）。

　ただの皮（紙）に価値を附与する。じつは虚構の最たるものです。じっくり考えてみてください。

　紙幣という虚構は、千円札がときに十万円になるという気まぐれや偶然を一切許容しません。千円は虚構的厳密さで、あくまでも千円なのです。

　昨日まで百六十八円だった食パンが特売で百四十九円になっていたので、釣りが十九円多く返ってきたというのは物価のほうの都合で、千円札はあくまでも千円です。

　紙でなにかを買えるということには徹底した整合性が必要です。紙幣を手にした人が、その世界観を疑ったとたんに、単なる紙切れに成りさがってしまいます。

ハイパーインフレーションは紙幣の虚構が一気に崩れ去って無価値に陥る過程で発生します。下手くそな小説にも、同様のことが起きます。一万円が一万円であるという厳密さを支える国家（世界観）が整合性を喪《うしな》ったときに、紙幣という虚構は崩壊するのです。

いずれにしても（きっちり価値として流通している）紙幣は究極の虚構です。小説も、こうありたいものです。

なにしろ虚構が完全に偶然を排し、整合性をもっているならば、もはや紙という薄っぺらな実体さえも必要なくなる。最近は電子データに変貌しつつある。

価値の電子データ移行は、皆が諸々を勘案して二進法の虚構と幻想に遺漏がないことを受け容れているからで、一方でビットコイン等の虚構は上がったり下がったりで、まだまだ不安定なようです。

クレジットカードその他が主流になりつつある昨今ですが、紙幣はこの世でもっとも成功している虚構といっていいでしょう。一万円札という紙片が一万円で有り得るのは、皆が納得して疑わないからです。

いいですか。偶然性の排除と厳密性によって虚構で物が買えるのです。虚構で物質が手に入るのです。虚構で物慾が、場合によっては性慾や名誉慾までもが充たされるのです。

虚構とは嘘であるという認識しかなかったのなら、あらためて紙幣的完璧さを目指して執筆してください。

紙幣や電子データ化された金銭という虚構は、じつは小説という散文表現が目指す究極に合致するという話でした。

さて、練れば練るほど既存のなにものかとかぶってしまう遣り口＝傾向と対策。独自性で勝負するしかない戦場に飛び込むのに、そんな間抜けな対策を練るしかない頭がよいと思い込んでいる大多数とちがって真に頭のよいたった独りの貴方は、小説執筆を始めて以降、常に独自性に思いを馳せて試行錯誤していることでしょう。

しかもちゃんと辞書を引いて〈独自〉の字義を確かめているはずです。

傾向と対策を練るような大多数は知った気になって辞典を引かないんですよ。で、独自性って独自の性格でしょ——なんて具合に平然とおざなりを披露して自身のバカさ加減に気付きもせずに得意そうであったりする。

貴方は今月から始めて、遅くとも三年のうちに新人賞を受賞しなければなりません。苦節十年などと悠長に構えていると、私の父親のようになってしまいますから。

私が小説家を志したのは三十歳になったばかりのころですが、三年間挑戦してだめだったらセンスがないとすっぱり諦めて他の仕事を探そうと決め、西友ストアの文具売り場に原稿用紙を買いにいきました。

どんな技能であっても三年ほども集中すれば、それに向いているか不向きであるかくらい否応なしに悟ることができるという見切りです。

ギターを手にとって、三年のあいだ毎日練習を重ねれば、音楽的才能はともかく、楽器演奏の才能があるかないかは自分でわかります。

まあ人並み以上には弾けるようになったけれど、俺に音楽的な創造力はない。残念ながらアマチュア止まりだなあ——と十代の後半でしたが、私も苦い笑いと共に自分に引導を渡した過去があります。

遺伝的要素により『誰にだって操れる』言語とちがって、音楽や絵画に対する才能技能は、プロとアマの差があからさまに出るだけに見切りやすい。

（たとえば、犯罪を構成しないカナダなどの国で）大麻を喫《す》って耳を鋭くして音楽を聴けば、才能のあるプロはこんなにも細部にこだわって演奏しているのか！　と唖然とさせられます。自分の演奏の陳腐さに、項垂《うなだ》れるしかありません。

もちろん十代の若造にとって自己否定はつらいことではありましたが、六十代もなかばを過ぎたいまとなれば、こうした諸々の挫折が私という小説家の芯にあって、ある種の傲慢さ＝他人の視線や言葉を意に介さない強さをつくりだしてくれている。

私はさんざん転んで、あちこちに傷をつくってきたのです。痛みその他に対する耐性がちがう。転ぶ前に自分を誤魔化してチープな理論武装をして逃げ、他人を批評することで己を保っているだけの貴方とはちがいます。

私の音楽に対する見切りですが、実際は引導を渡すまでに三年もかかっていません。一年くらいで、なんとなくわかってしまった。小説新人賞に応募して受賞するまでの期間が三年というのは充分に妥当な期間でしょう。

『しばらくやってダメなら、それは時代とずれているということだから、諦めたほうがいい』――以前、某賞でいっしょに選考していた山田詠美さんの言葉です。

『時代とずれている』ということから、時代や流行に迎合すればよいと早とちりする人がけっこういそうです。

時代とのずれは感受性の問題ですから、努力や頑張り、まして傾向と対策では絶対に解決できません。

傾向と対策を練って作品を書きあげた時点で、その作品は、もう古いのです。時代とずれているのです。

時代とずれていたとしても、私の書くものは真実です――という文学的な貴方様には、小説で飯を食う話をしているので、御自由にと距離をおかせていただきます。

セックスの一部始終を四十枚で書くという課題は、五感――視覚・聴覚・嗅覚・味覚・触覚、そして快楽と苦痛、慾望と挫折、微妙な心の綾に訴えるという小説表現に必須の要素を鍛えるためでもありました。

狎れて、だれて投げ遣り――という境地も含めてセックスは本来的には五感を研ぎ澄まして他者と、あるいは自分自身との関係性を構築する行為であり、貴方の独自性が発揮される舞台ですが、説明を控えて、きっちり描写できましたか？

新人賞応募作品を書くにあたって、長篇がいいのか短篇がいいのか、娯楽か文学か、ミステリーかホラーか時代か恋愛か一般的な小説かといったことは、貴方が決定することですから私は一切関与しませんが、しつこく指摘しておきます。

くどいですが、ここで賞に対する傾向と対策を練ると、受賞しても鳴かず飛ばずな作家と一緒になってしまいます。あくまでも独自性で突破してください。

また受賞してからの適者生存の観点から、あえて応募作の多い新人賞に挑戦すべきだとは思いますが、これも自身で決定してください。

私は村上春樹を読んだことがありません。種々の新人賞選考会で一時期、最終選考に残っている作品に対して必ず他選考委員から苦笑まじりに「また春樹だよ」という言葉が洩れたものです。

だからそれらの応募作を読んだだけで、村上春樹がなんとなくわかったような気分になってしまった。正確には劣化した村上春樹をたくさん読まされたせいで、腹がいっぱいになってしまった。

ここまで影響を与える村上春樹という作家は凄い。

が、無自覚に真似して応募してしまう貴方は痛々しい。

実際、私が選考をしていて春樹風が受賞したことは一度もありませんでした。

こうなると小説家志望の読書にはどのような意味があるのか——と、若干うなだれ気味になってしまいます。

読まなければだめだけれど、センスがない人が読むと微妙ですね。ある瞬間、大好きな作家を遠ざけるくらいの意識操作が必要かもしれません。

模倣で始まることを否定しません。

けれど、センスのある人は幾つか模倣すれば、そのエッセンスを吸収して見切ってしまうものです。

入試ではないのだから、村上春樹という模範解答を写しても合格は難しい。当然ながら村上春樹に限らず、すべての職業小説家に似た作品を書いてはいけません。

と、当たり前のことをくどく念押しするのは、いくら言っても新人賞というコンテストにおいては、亜流が主流だからです。と、まとめあげて溜息が洩れてしまった……。

第10講　描写と説明1

少し前に、馴染《なじ》みの編集者から読んでみてくださいと手わたされた桜木紫乃〈ホテルローヤル〉を一読して、打たれました。

ロイヤルではなく、ローヤル。音引きを用いた題名からして、すべてを象徴包含していて別格です。

まずはテキストとしてこの作品を無断借用しましょう。よい作品は、どこをひらいても隙がない。適当にぱっとひらいたらこんな段落がありました。

『ホテルローヤルは、一階が車庫で二階が客室になっていた。外観は城のように白い壁にオレンジ色の屋根という派手さだが、一歩部屋へ入ると和室なのか洋室なのかわからない、すべてがどこかから寄せ集めた余り物でできているような、統一感のない建物だった』――これは説明ですか。描写ですか。自身で考えてみてください。

さて、その編集者が期待の新人です――と続けて某新人賞受賞作を送ってくれた。

連続していたので記憶に残っているのですが、期待の新人の作品は、数頁繰っただけで読み進むことができなくなりました。

〈ホテルローヤル〉とはじつに対照的な作品で、実例を引けばよい教材となるのですが、作者を貶《おとし》めることになってしまう。ですからこの作品の冒頭部分を引用するのは控えました。

伝達としての文章の完成度という注釈がいるにせよ、この作品が新人離れしたものであることは導入部からも直感できたのですが、そして我慢して読み進めていけば感動に出会えるかもしれないと思いもしましたが（だからこそ編集者が薦めてくれたのでしょう）、同時に作者が『描写と説明』に対してなにも考えていないことがわかってしまい、興醒《きょうざ》めしてしまったというのが本音です。

言い方を変えると、小説のつもりで読みはじめたら（少なくとも冒頭は）近代史関係の教科書だった！　という裏切りに、鼻白んでしまったのです。

つまり期待の新人は、冒頭から描写ではなく、遺漏なく説明していたのです。なまじ文章力があるがゆえに、小説のふりをし損ねたといっていいでしょう。無自覚な歴史に対応した情報の羅列に小さく苛立った。

しかも、その説明の技巧が、強い既視感をもたらすパターン化されたものだった。私は「この新人、ライターじゃないの？」と編集者に確認しました。

ここまで書いて、さて、ライターとはどのような文筆業なのかと考えこんでしまいました。辞書を引いても著者・筆者・著述家とあるだけで埒《らち》があかない。

けれどライターと称される文筆家に固有の文章スタイルがあるのも事実です。そこでライターがもっとも活躍しているであろうネットで検索をかけてみました。

〈意外と知らないライターという仕事の「裏側」‥仕事の中身と収入はこうなっている〉という東洋経済オンラインの記事に『ライターとは、取材などを通じて情報収集し、それを基に文章を書いて、原稿料や印税をもらう職業のことです』と筆者の肥沼和之《こえぬまかずゆき》さんが明確に定義されていました。わかりやすい文章で複雑なことをずっと説明されているよい記事でした。

ライターよりも小説家が偉いなどという陳腐なことを言いたいわけではありません。ライターと呼ばれている文筆家の書く文章と小説の文章は、まったく別物であるという機能上のことを問題にしているだけです。

意見や感想を記すことは許容範囲でしょうが、ライターの書く文章が虚構だったら、それは、まずい。

ライターの書く文章はノンフィクションの作家の書くものとはまた微妙に違うにせよ、取材などを通じて情報収集し、それを基に文章を書くのですから、派手に虚構をでっちあげてしまえば、依頼者側も二度とそのライターに注文しないでしょう。

一方で、小説家の文章は虚構の度合いが強ければ強いほど、しかも虚構がリアルであればあるほど賞賛されるわけです。

私が見抜いたとおり期待の新人はライターとして活躍していた方で、問答無用の文章力がありました。

が、少なくとも作品のアウトラインを要領よく説明していく冒頭の文章は、小説の体裁を仮装したライターの文章でした。

この新人の問題点は、小説を書くにあたって『描写と説明』についてなにも考えずに小説らしきものを捻りだしてしまったことにあります。

もちろん『描写と説明』のことなどなにも考えずに、すっと見事な小説を書きあげてしまう人もいます。けれど、こういう人は意識せずに描写ができてしまっているのです。

描いて写す。

説いて明かす。

なにがどう違うのでしょう。困ったときの辞書頼み、さっそく引いてみました。

すると——描写には一元描写、内面描写、多元描写、客観描写、平面描写、心理描写、性格描写、感覚描写、自然描写と頭にいろいろくっついた項目がたくさんあるのに、説明は、説明のみでした。このあたりになにか鍵がありそうです。

＊描写　［小説・絵画・音楽などで］表現の対象とする状態や情景をあたかも現実の世界の事象であるかのように表わすこと。

＊説明　ときあかすこと。特に物事がなぜこうなのかの根拠・理由を明らかにすること。

描写のほうは『あたかも現実の世界の事象で「あるかのよう」に』とあるように、虚構に深く結びついているのがわかります。

一方、説明は物事に関わるので明らかに事実に拠《よ》っていることがわかります。補足すれば、説明というのはわからないこと（知らないこと）をすでにわかっていること（知っていること）に関連付ける方法です。

＊説明――コップが落ちて割れたのは、引力のせいである。

（わからないこと）である、なぜコップが落ちた？　を（すでに知識としてもっている）引力に結びつけて解釈。

なんだかバカっぽいですね。誰が引力のことなんて訊《き》いてますか?!　と食ってかかりたいくらいです。

でも、説明するという遣り口は、往々にしてこのバカっぽい、そぐわない違和感をともないます。

知識を詰めこんだ解説好きな奴が、頼みもしないのに耳許であれこれ解説してくるとじつに鬱陶しいでしょう。その奥底には、このように間違ってはいないけれど、バカっぽいという違和感が隠されているからです。

＊描写――コップが砕け散った。花恵は村井と視線を合わさぬようにして狼狽《うろた》え気味に腰を屈《かが》めると、黙って破片をひろいはじめた。村井は唇の端を歪《ゆが》めた。「おまえが萬田と河川敷の

「モーテルに入るのを見たと月岡が言ってるんだよ」

これも、まあ、バカっぽいというか、ありがちで恥ずかしいですけれど、あまり凝った例をあげて散らかるのは、それ以上にバカっぽいので、このあたりに落ち着きました。花恵さんが村井さんに隠さなければならない萬田さんとの事柄を月岡さんに目撃されたばかりか告げ口されてしまったようで、それによってコップをもつ手に加えるべき力がおろそかになってしまったようです。

整理しますね。まず、小説において説明してはいけないと私はひとことも言っていません。説明していいのです。

ただし、小説という虚構表現においては、描写をさておいて説明が主体となってしまうと、コップが落ちたのは引力が原因であるといった奇妙なずれが往々にして生じる。

コップに引力は極端な例ですから実作にはまず有り得ませんが、説明を多用して虚構を紡いでいくと、間違ってはいないけれど、なんか変。そんな違和感を孕んでしまう。

これは『物事がなぜこうなのかの根拠・理由を明らかにする』という説明の機能が現実に対応したものであるからです。

だからこそノンフィクション作家やライターの書く文章作品には説明が必須ですし、テクニカルライターという言葉があるくらいです。電気製品の取扱説明書が虚構だったら困りますとも。

取説の文章がピンキリであるということは蛇足に類することなので、多少言いたいことはあるけれど黙ります。

小説家はおおむね冒頭、書き出しに命をかけます。おおむねとしたのは、安易に説明に頼りがちになってしまうジャンルに時代小説があるからですが、とりあえずそれはおいておきましょう。

『山路《やまみち》を登りながら、こう考えた。／智《ち》に働けば角《かど》が立つ。情《じょう》に棹《さお》させば流される』（夏目漱石〈草枕〉）

『木曾路《きそじ》はすべて山の中である』（島崎藤村〈夜明け前〉）

『佐渡《さど》は、越後《えちご》からみれば波の上にある』

『国境の長いトンネルを抜けると雪国であった』（川端康成〈雪国〉）

『道がつづら折りになって、いよいよ天城峠《あまぎ》に近づいたと思う頃、雨脚が杉の密林を白く染めながら、すさまじい早さで麓から私を追って来た』（川端康成〈伊豆の踊子〉）

川端康成の書き出しは天才的だな。

『洪作《こうさく》が沼津《ぬまづ》中学を卒業したのは大正十五年三月である。卒業と同時に、洪作は袂《たもと》の着物を着た。中学の五年になった時、台北《たいほく》に居る母から紺がすりの袂の着物が送られて来たが、一日も手を通さないで行李《こうり》の中に入れたままになっていた。それを取り出して着たのである』

これは私がいちばん大好きな井上靖の〈北の海〉の書き出しです。たまりません。が、たぶん、貴方は私が何に対してたまらなくなっているのか、わからないでしょう。

あくまでも私が好きなのですから、貴方によさがわかってたまるものかという気分でもあります。解説することはできるけれど、しません。理由——もったいないから。

〈北の海〉は『洪作が沼津中学を卒業したのは大正十五年三月である』という書き出しで始まります。

似たようなものに時代小説のある種お約束のような書き出しがあります。こんな具合です。『享禄《きょうろく》五年（一五三二年）』——なんですか、これ。西暦の併記は親切心ですか。大切な書き出しに（　）をおいてしまう絵心のなさが悲しい。

意図して年代を書いたならあれこれ言う筋合いもないのですが、読み進むと、享禄も西暦も必要ない。

一方で〈北の海〉は、大正末期の絵が淡く泛《うか》ぶ。しかも三つ四つ段落を読み進めていくと特別なことはなにも書いていないにもかかわらず、大正十五年三月がじわりと沁《し》みてくるのです。井上靖の平易な文章は、超越的な才能の成せるわざです。

第11講　描写と説明2

小説家の水準があからさまに示される大切な書き出しに、なんら明確な意図なしに『享禄五年（一五三二年）』と書いてしまう。これを描写と強弁できる人はいないでしょう。いつごろだ？　と漠然と思ってしまう享禄五年に一五三二年と西暦を関連付けることは典型的な説明です。

おかげで、なんとなく十六世紀かということはわかりますとも。けれど西暦はとりわけ無意味な『説明』です。読み進めていっても、この（一五三二年）に関係する段落は一切あらわれないからです。

私が歴史に疎いせいだと言われればそれまでですが、そもそも一五三二年に世界でなにが起きていたかなんて、欠片も泛びません。コップが落ちたのは引力のせいであるというのと五十歩百歩だ。

少し前にある時代小説を読みはじめたのですが、じつはこれも最初の一頁で挫折しました。本を処分してしまったので記憶で書きますが、最初の頁に主人公の背丈が『五尺九寸（約一八〇センチ）』といった具合に『享禄五年（一五三二年）』と同様の説明があったからです。

主人公がその時代の人の中では抽んでて背が高かったなら、描写すればよいではないですか。周囲から頭ひとつ以上飛び出している男の視点、どこかまわりを見下している、あるいは目立つことに心窃《ひそ》かに劣等感を抱いている——といった具合に、背丈から派生する諸々の描写でその人物の性格、心情その他をいかようにも描くことができます。

それを（約一八〇センチ）で説明してあっさり放棄してしまっているのですから（読み進めば背丈からくる人物描写が出てくるのかもしれません。が、冒頭でこんな『説明』に対面させられれば小説的興趣をあっさり削がれてしまいます）、私はこの本を力なく閉じたのです（自腹で購入したので、率直に不満を述べさせてもらいました）。

前講で引用した導入部——『佐渡は、越後からみれば波の上にある』は、どのような小説家の書き出しかわかりますか？　司馬遼太郎の時代小説からの引用です。後に詳細に説明しますが、引用に値するすばらしさです。けれど『享禄五年（一五三二年）』や『五尺九寸（約一八〇センチ）』といった導入部を誰がわざわざ引用しようと思うでしょうか。

もっとも〈桃太郎〉の「むかし、むかし、あるところに」という慣用句？と同様、書くほうも読むほうも時代小説的な決め事として『享禄五年（一五三二年）』や『五尺九寸（約一八〇センチ）』があれば落ち着くというのであれば、もはや私がとやかく言うことではありません。

でも、貴方は、ここはあえて説明すべきところかどうかということを常に考えて執筆してください。

『説明』によって、コップが落ちたのは引力のせいである——という純然たるコップ落下の根拠を示すのがいいのか、花恵がコップを落とす前後の様子、たとえば下膊《かはく》に鳥肌が立っていたとか、コップに添えた中指がせわしなく動いていたとか、口が渇いていて彼女らしくない口臭がしていたといった『描写』を重ねるべきか――と。

歴史小説と銘打ってあるならば当然読むほうの心構えも違いますが、時代小説のつもりで読みはじめたら教科書だったという作品が時折みられます。

前講の新人の作品も近代史的なあたりがじつに教科書的で、しかも小説に仮装しようとしている中途半端さが微妙な引っかかりをもたらしました。

読み手というのは論理的に理解できなくとも直観します。侮ってはいけません。いっそ能天気に『五尺九寸（約一八〇センチ）』と書いてあったほうが読み手のほうが漠然とした気分にすぎませんが作者に対して優位に立てるぶん、ましかもしれません。

ともあれ時代小説を小説として成立させるには覚悟が必要です。時代背景は否応なしに決定されているし、歴史に名を残している人物を扱えば、結末まで決められてしまう。織田信長は本能寺で死ぬのです。それでも明確に新たな物語をつくろうという意思がないと資料に流され、説明に堕します。

第10講において、気を許すと時代小説は描写よりも説明に重点が移ってしまいがちであるということを書きました。

時代背景を説明しなければならないという宿命をいかに克服するか、あるいは文中に溶けこませるかは時代小説を書く人に課せられた重荷です。

細川晴元《ほそかわはるもと》を擁して上洛《じょうらく》した三好元長《みよしもとなが》が晴元に疎んぜられ、やがて本願寺光教《こうきょう》らに攻められて自死に至るまでの端緒を小説家ならばなんらかの象徴的な出来事（虚構）を拵えて、きっちり描写することが大切です。描写が揺るぎのないものであるならば冒頭の『享禄五年（一五三二年）』という揺るぎなき説明は不要なのです。

『佐渡は、越後からみれば波の上にある』ですが、司馬遼太郎〈胡蝶《こちょう》の夢〉の書き出しです。『享禄五年（一五三二年）』と書いてしまう時代小説の作家に、爪の垢でも煎じて飲ませたい。芭蕉が下敷きにあるのかもしれませんが日本海。遠流《おんる》の島。見事な絵が泛び、くらっとします。えも言われぬ詩情が立ちあがる。説明ではありません。描写の力です。

荒海や佐渡によこたふ天河《あまのがわ》

俳句は常に描写ですね。『よこたふ』は他動詞であるものを芭蕉が自動詞として誤用したというつまらない指摘がありますが、山本健吉氏によれば日本語における再帰動詞としての用い方であると明確に述べられていて、膝を打ったことがあります。

おっと、脇に逸《そ》れてしまった。貴方は日本語を扱うために小説だけでなく俳句なども愉しまなければなりません。

描写における最上級の境地、省略と象徴の摑みかたを学ぶには、超越的な日本語の宝庫であるすばらしい句に接することが欠かせません。

『描写と説明』については、しつこく続けます。説明してはいけないわけではない。でも描写できるところを説明で代用してはなりません。

説明は、機能として説明がもっとも明快に小説を輝かせるところに用いなさい。

もちろん先々、種々の手管をものにしていくうちに、描写をあえて説明に置き換えるといったことも必要になるかもしれません。

私など悪ずれしていますから、描写を平然と説明で置き換えることもあります。描写による煩瑣《はんさ》を避けるためには案外、重要なことでもあります。けれど必然がなければ、まずは描写。肝に銘じてください。

三十年ほど前でしょうか。ホラーをはじめ数々の大ベストセラーを連発した出版業界では名の知れた名物編集者が私の担当でした。名物というくらいですから普通ではない。時代もよかったのでしょうが、金だけ出して放任してくれる。

駆け出しだった私を滞在費その他をすべてもってくれて一ヶ月沖縄で遊ばせてくれたことさえあります。蛇足ですが、私が沖縄を大好きになったのは、Sに幾度も沖縄に連れていかれたせいなのです。

このSという編集者と取材という名の暇つぶしに石垣島に出かけたときのことです。

石垣市の文具店も兼ねた書店で、大阪在住の石垣島出身の方が自費出版した小説を見つけました。

埃《ほこり》をかぶってひどい状態でしたが、冒頭を立ち読みして、委細構わず購入してしまいました。

というのも、その小説は「こういうのも、ありかよ〜」と半笑いで下卑た声をあげてしまうような表現を平然と重ねていたからで、自費出版とはいえ、それが実際に活版で印刷されていることに昂奮?してしまったのです。

以下の文章ですが、貴方は『描写』だと思いますか。『説明』だと思いますか。たぶん『比喩』ではあるのですが、どんなものでしょう。

——その男は、石原裕次郎にそっくりな、少しやんちゃな目をしていた。女は浅丘ルリ子に似た美女であった。

なにせ三十年以上前のことですので、その本もどこかに紛れて見つからないばかりか、題名も思い出せない。だから細部は不正確です。

でも石原裕次郎と浅丘ルリ子は、はっきり覚えています。

浅丘ルリ子に似た美女——とあって、頰骨のやや突出した目張りのくっきりした美女が泛んだものです——と書いてネットで浅丘ルリ子の画像を見たら、頰の肉は豊かだが、べつに頰骨は飛び出していなかった。失礼しました。

——その男は猛禽類《もうきん》に似た鋭いけれど遠い彼方に焦点のあった奇妙な目つきをしていて、眼前の私を見ていなかった。

もっともらしいけれど『石原裕次郎にそっくりな、少しやんちゃな目をしていた』というのと表現においては大差ないですよね。

でも感覚的に、石原裕次郎という比喩?がいかに的確であっても、固有名詞を使ってはいけない気がする。

うーん。そうですか?　本当に、そうですか?

――その男はリンカーンに似た立派な鷲鼻《わしばな》をしていた。

と、書かれていたら、なんとなく見過ごしてしまいませんか。よい表現とはいえませんけれど、裕次郎やルリ子よりも違和感が薄れる。

異論もあるでしょうが、猛禽類やリンカーンが成立してしまうのですから、ここは論を進めやすくするために裕次郎ルリ子は、あえて『説明』ではなく『描写』であると規定してしまいましょう。

あれこれ理由や理屈はつけられますが、ここは徹底して虚構の機能や本質に沿って考えてみてください。(いまの若い子は、もう、まともな絵が泛ばないでしょうが) 裕次郎やルリ子は虚構を補強する『描写』としては、少々生々しすぎる。

アイコンとして強力すぎて『描写』されるべき男を(女を)侵蝕《しんしょく》し、食ってしまう。

現実世界には裕次郎さんやルリ子さんのそっくりさんがいて、それで飯を食っていたりする。けれど、虚構における『描写』は、主体よりも強烈なイメージをもっているものをおかないほうがいい。

少し理解できたでしょう。『説明』はなにを差し置いても的確であればそれでよいのです。『五尺九寸（約一八〇センチ）』でかまわないのです。

けれど『描写』は、匙加減《さじ》が最重要なのです。

匙加減。難しいですよ。プロとアマの差が露骨に出る部分です。

第12講 センスと努力

聡明な貴方なら言わずもがなでしょう。でも、あえて明確にしておきますね。

虚構と嘘はどうちがう？

問いかけるのも気恥ずかしいくらいに、虚構と嘘には絶対的な差異がありますね。

嘘には（だます等の）目的がある。

虚構は現実の利害関係と結びつかない。

紙幣は虚構ではなかったか――と疑問が湧いた貴方は、利害関係と千円札で物が買えるということを結びつけ、混同して惑わされてしまったようですね。

千円は虚構的厳密さであくまでも千円であることを思い出してください。千円札は絶対に十万円にはならない（嘘がつけない）のです。千円札それ自体には嘘の要素である（だます等の）目的が一切ないのです。

だからこそ千円札は、千円の価値として通用し、流通するのです。虚構的厳密さによって共同幻想を維持している千円札は、切ないくらいにひたすら千円という価値しかないのです。

こう書くと、古銭は額面よりも高価で取引されるぞ――と、したり顔で吐《ぬ》かすバカがあらわれます。大人でもいますよね、これに類する幼稚なことを抑えきれずに得意げに口にしてしまう人。トホホ（死語）。

現実社会で嘘をつかずに生きていくのは不可能です。欠勤の言い訳に親族を殺す人までいます。

話を面白くするためについ話を大きくしてしまう人も多い。人ごとではない。これは受け狙いという実利を求めてしまうからです。

私も幼いころはその場逃れの嘘をついていました。でも小学校に上がるころには、ばれる嘘をつくのは効率が悪いと悟り、嘘をつくときは絶対にばれない嘘だけをつくことにしました。

それでもその場の勢いでつい見栄を張ってポロリと嘘をついてしまい、自分の惨めさに気まずく悲しい思いをします。

人はみんな、嘘つきです。

見方を変えると、嘘は現実にリンクしています。虚栄心を充たすといったことも含めて、基本的に自分にとって利益がない嘘をつく人は、まずいない。

精神病的な無意味な嘘をつく人だって、心の裡《うち》をさぐっていけば、自身の内面の何ものかを保持したり、隠蔽するための嘘なのです。

どのみち意識しようがしまいが嘘をつかざるをえないのだから、実践も充分ですので嘘について はこれにて打ちどめにします。私は嘘つきな貴方に講釈を垂れることができるほどの嘘つきでもありませんし。

虚構は現実の利害関係と結びつかない。

この絶対的な一線により『虚構』は『嘘』と別格の扱いです。

一応念押しをしておきますが、金を払って本を買うということは、虚構が現実の利害関係とリンクしている証拠だなんて口走らないでくださいよ。古銭は額面よりも高価で取引と同様の論旨のすり替えですから。

いろいろな空想や妄想が泛ぶのは脳の本来的な機能なのでしょうね。異性に対する妄想を実行してしまうと犯罪者になってしまう場合があるけれど、虚構というかたちで文章にして表現すれば印刷物として、データとして流通して、金銭という虚構に変換される可能性があります。

小説家になりたいという人は、自身の抱く空想や妄想が他の者よりもリアルで優れていて虚構として完璧であることを証明したい。そこでキーボードを叩く。完成した傑作を新人賞に送附する。二次選考にちいさく名前があったきり音沙汰なし――。

これを避けるために貴方はいままで私と共に勉強し、セックスの一部始終を四百字詰め原稿用紙にして四十枚程度を目処に書くという課題を与えられました。

もう肌がヒリヒリするくらいに実感しているでしょう。並の虚構ではだめだ――ということを。その他大勢の醸しだす虚構ではだめであるということを。

しかも虚構がずば抜けていたって、それを表現する技術がともなわなければ足踏みしてしまう。

もっとも(最低限の――という注釈がいるにせよ)技術レベルの話はどうにでもなります。

だって、もう、貴方は日本語の文章を書いているではないですか。文法は論理ですからさらっとおさらいすれば充分です。

私は能動的不登校で小学校にほとんど行っていませんが、チョムスキーの説を証明するかのように脳にはじめから存在する言語機能により直観的に文法を摑んで、こうして文章を書くことを職業にしています。

考えすぎないことです。まして文法を勉強し始めたりしないこと。文法なんて生まれつき脳内にあるのですし、川端康成なんて文法的におかしなところがいくらでもあります。言い換えると、川端康成は自分で文法をつくりあげているのです。

おっと、川端康成と自分を同列におかないでくださいよ。いるんですよ、川端康成は自分で文法云々と書くと、私もそうだ——という人が。

いくら書いてもうまくいかなかったら、わたしにはセンスがないと割り切ってやめてしまえばいい。

それくらい楽な気分で執筆してください。貴方には思い詰める前にすべきことがいくらでもあるのですから。

私の愛読書に〈女性自身〉があります。なぜか光文社から毎週送ってくれるのですが、おかげで皇室に詳しく、韓流スターもけっこう知っているし、ドラマ等は一切見ないくせに日本の芸能界にも相当詳しい。

以下は〈女性自身〉の記事からの引用です。ビリビリ破いて机上のメモや資料に重ねていたせいで、いつの号か判然としません。申し訳ありません。

『落語家を始めるまで、僕はずっと何をどうすればいいのか悩み続けていました。でも、落語はセンスの上に努力を乗っけることができる』(二〇一八年八月七日号※編集部調べ)

山崎邦正《やまさきほうせい》さんはお笑い芸人から落語家に転身し、月亭方正《つきていほうせい》としていまでは独演会において八百席を満席にする人気と実力を誇るそうです。

私は落語に疎いのですが、寄席のキャパシティは、せいぜい三百席強ほどでしょう。過去のお笑い芸人時代からのファンがいるとしても、単独で八百人呼べるというのは凄い実力です。落語家に転身したのは十年ほど前でしょうか。桂枝雀《かつらしじゃく》の落語を聴いて衝撃を受け、落語家を志したそうです。

私は滑り芸、イジメられ芸と呼ばれていた落語家になる前の山崎邦正さんをよくテレビで見ていました。

いまでこそまったく見なくなってしまったお笑い番組ですが、山崎邦正さんがイジメられていたころは、執筆を終えた深夜に漠然とお笑い番組を眺めて蟀谷《こめかみ》が疼《うず》くようなテンションを醒ましていたものです。

お笑いとはいえ、山崎さんはずいぶん非道《ひど》い目に遭っていましたよね。私はビンタを喰《くら》わされたりして半分泣きだしそうな山崎さんの貌を、口を半開きにしてぼんやり呆《ほう》けて眺めていたのです。

笑いが差別構造に大きく拠っていることは自明です。もちろん小説も差別構造なしには成立しません。でも、これは虚構の本質に関わることなので先送り、あるいは個々に思いを巡らせてもらうことにしましょう。

山崎さんは滑り芸、イジメられ芸であちこちの番組に出演していました。けれど山崎さん自身はそれらの芸風が不本意で、凄まじいストレスを感じて苦しんでいたそうです。

それが『落語家を始めるまで、僕はずっと何をどうすればいいのか悩み続けていました。でも、落語はセンスの上に努力を乗っけることができる』という言葉につながります。この言葉は重要な示唆を含んでいます。

『落語はセンスの上に努力を乗っけることができる』

創作に携わる人にとって本質を突いたすばらしい言葉ですね。努力の上にセンスが乗っかるのではない。センスの上に努力が乗っかるのです。

過剰なほどの情をもった山崎さんは、センスの上に努力を乗せることができると喝破するだけの抽《ぬき》んでた知性の持ち主でした。

滑り芸、イジメられ芸は、じつは笑いのある本質でもあるのですが、たしかに私も見ているうちに、なんだかな――とテレビを消してしまった記憶があります。なんだか学校の虐《いじ》めみたいで、まさに、なんだかな、だったのです。

見ているだけでもそうなのですから、それをされるほうはどれほどの鬱屈を覚えていたか。

落語に活路を見出《みいだ》した山崎さんは、つらい思いもされたけれど、幸福ですね。

でも山崎さんが真に幸福な方だと思うのは『落語はセンスの上に努力を乗っけることができ

る』という言葉からもわかるとおり、創作の本質を摑んでいるからです。

新人賞に応募する方のほとんどは、努力にセンスを乗っけようとしている。書いていればセンスがつくと思い込んでいるのかもしれないけれど、絶対に、これでは、うまくいかない。

新人賞に限らず、物事をうまくいかせるためには、必ずセンスの上に努力を乗せなければならないのです。

努力したらセンスがつく。

有り得ません。そもそもセンスのない人は努力ができません。センスのない人がする努力は、つまりセンスのない人が口にする努力は、常に敗者の言い訳です。

残酷なことを書いています。承知のうえです。

あえていえば、小説を書くセンスは文章修業以外の事柄からもたらされるものです。文章を書く以前に、すべきことがいくらでもあります。

某小説教室に呼ばれたとき、こんなところで群れていないで旅行にでたらいいのにと言ったことがあります。本音です。営業妨害する気もなかったのですが当然、この小説教室には二度と呼ばれません。

本来、作家とは孤独を友として言葉――虚構を醸しだす仕事なのです。

どうかセンスの上に徹底的に努力を乗せてください。

書くのが愉しすぎて疲労困憊、目が見えなくなってきた――といった境地をどんどん自身に味わわせてあげてください。

たぶん目がよく見えなくなってきてしまった貴方は、努力しているという実感がまったくないはずです。

センスがあるから、おもしろくてたまらない。おもしろくてたまらないから、やめられない。結果、センスがますます磨かれる。

この好循環をつくりだせてしまえば、貴方はおもしろがって虚構を紡いでいるうちに小説家になっています。

あ、そうだ！　プロの小説家になるための大切な心構えがあります。

両親や兄弟、配偶者、まして子供に読まれたくないような作品を書くことを目指してください。

べつに悪ぶる必要は一切ないのですが、たとえば、貴方はこんなに腹黒いのか——といった感想を親や配偶者が口にしたならば、その作品は充分に見ず知らずの人にも作用し、諸々の感情を惹起《じゃっき》します。

虚構です。貴方がなにを書こうが、現実の利害関係とは結びつきません。

それでも両親の貴方を見る目が変わったならば、貴方の虚構は大成功です。

第13講

描写と説明3

裏話というほどのことともないのですが、この原稿は入院中に〈小説すばる〉に連載していたのですが、一年分、十二回を一気に書きあげてしまいました。ここにきてストックが切れたので、今回の講から毎月の締め切りにあわせて執筆します。

骨髄異形成症候群（念押ししておきますが白血病の前段階であり、遺伝子の異常から放置しておけば数年以内に確実に白血病を発症して、年齢的なこともあり死に至る）と診断されて、本来ならば体力的なことに鑑みて五十五歳までとされている骨髄破壊的移植（凄い名称だ！）を六十三歳で受けました。幾多の連載を抱えていましたが相当に苦しい治療と聞き、入院は三ヶ月程度とのことなので、各誌に連載の中断をお願いしました。

全身を巡る自身の血液を殺すために一息に浴びれば二度死ねる量の放射線照射、そして抗癌剤等薬剤まとめて七種類を首に穴を開けてつないだ静脈に一週間二十四時間ぶっ続けで点滴投与が行われ、その後、骨髄移植という流れです。

移植はうまくいきましたが、放射線と抗癌剤の副作用は凄まじいものでした。

さらに移植されたドナーのリンパ球が私の正常臓器を異物とみなして攻撃するＧＶＨＤとい

う症状も激烈でした。このあたりは、いずれ小説作品（大仰にも『苦痛文学』と称して治療とそれに附随する常軌を逸した痛み苦しみや、自宅療養からはじまる陰惨な家庭内暴力〔虚構〕を描くつもりです）に結実させるつもりなので詳述は避けますが、入院中、私は連載中断を後悔した。

なぜならば、書けてしまうからです。苦痛小説を構想するほどですから、痛み苦しみ倦怠《けんたい》その他、精神的にも肉体的にも絶望的などん底にありましたが、それでも、書けてしまう。

書けなかったのは放射線と抗癌剤の副作用でまったく動けず、ベッドにめり込むように打ちのめされていた一週間ほどと、GVHDの苦痛を軽減するためにモルヒネ注射をされていたあいだだけでした。

もっとも入院日記（もう、このときから『苦痛文学』を構想していて記録をとっているのだから抜け目がない）によると、モルヒネを大量に投与されていたときも毎日数枚程度ですが、ちゃんと原稿を書いていました。でも、記憶がない。

モルヒネはちょうど一ヶ月ほど投与されていましたが、禁断症状が起きないように量が少しずつ減らされていくうちに、一日に労せずに十枚程度書くことができるようになってしまいました。

休載させてくれと頼み込んでしまった手前、書けてしまうからといって原稿を書きあげて押しつけるわけにもいきません。

ならばということで、この〈たった独りのための小説教室〉の原稿一年分を書きあげ、さらに〈小説宝石〉の新連載ホラー小説〈ヒカリ〉に手をつけてしまいました。レ・ファニュが好きで、どうしてもホラーを書いてみたかったのです。

どちらも連載開始は先の話だったのですが、無菌室に閉じこめられて遮断されていることもあって雑念とも無縁、執筆はとても捗《はかど》り、双方の新連載に関しては大量のストックを編集部に渡すことができました。

長い前振りでした。なにが言いたいのかといえば病気自慢でも苦痛自慢でもなく、執筆自慢、書くことがある自慢です。

一昔前、いやもっと前か、マンガや映画などに描かれる紋切り型に、周囲に散ったぐしゃぐしゃの原稿用紙と『書けない』と頭を抱える作家の姿がありました。

新人作家と話をしていると、やはりときどき『書けない』と訴える人がいます。

紋切り型も新人作家も日本語の使い方が間違っています。『書けない』のではなく『書くことがない』のです。

入院中に私があらためて感じたのは、内面から沸々と湧きあがる書きたいという衝動でした。あれも書きたい、これも書きたい。イメージや象徴が頭の中で乱舞して、収拾がつかない。それぞれが明確な絵をともなっていて、題名さえ決めれば即座に書きはじめられる状態です。

私が為《な》すべきことは、そのイメージなり象徴なりに優先順位をつけ、さらに媒体が求めている内容かどうかを吟味し、まずはどの象徴を文章に落とし込むか＝小説として成立させるかを決定することです。

書きたいことがいくらでもあるので、あとは書くだけであり、書けない――という煩悶とはまったく無縁です。

戦争映画などで被弾した兵士にモルヒネを打つ場面がありますね。麻薬＝モルヒネは窮極の痛み止めです。

それを二十四時間、常時打たれている状態ですから、私が覚えている痛みや苦しみは尋常ではありません。

それでも書けてしまう。それどころか集中が訪れれば脳内麻薬も助けてくれるのでしょう、苦痛を忘れて執筆していました。

書くことがある小説家は、幸せです。小説家でありながら、漠たるイメージしかなく、書くことに結びつかない状態で過ごさねばならないのは地獄です。

文章センスだなんだという前に、小説家に必須なのは、書くことがあるということなのです。自負もこめて言い切ってしまいますが、第一線で活躍している作家は、書くことがある――のです。それが、すべてです。

自慢話かよ――と吐き棄てた貴方に謹んで申し上げます。自慢話でした。

さて、いま否定気味に書いた文章センスについてを示しておきましょう。説明と描写の続きです。

センスのある人は描写で説明できてしまうということの実例を示します。

父親の儀三郎が己の体よりも大きな柴《しば》の山を括《くく》りつけた背負子《しょいこ》を背負って先を行く。

徳三は慌てて口許を引きしめて、儀三郎の背を追いかけた。

――以上説明。


儀三郎が己の体よりも大きな柴の山を括りつけた背負子を軋《きし》ませて先を行く。

徳三は慌てて口許を引きしめ、柴で見えない父の背を追いかけた。

――描写。


差異がわかりましたか？　もちろん、わかりましたよね。

プロであっても、とりわけ娯楽小説を書いている作家は、導入部に近いあたりで、よくこういう説明をしてしまいがちです。無意識に、あるいは意図的に主人公と登場人物の関係を示しているわけです。

意図的な場合は読者に対する親切といっていいのですが、やはり頭に『父親の』と置いてしまうのは文章センスからすれば、かなり不細工です。要は儀三郎が徳三の父であることがわかればよいのですから。

文章の頭に『父親の』と書くのは私の文体であり、まさに読者に対する親切心ですから――という作家は、なるほど！　とビックリマーク付きで無視します。

あるいは、花村がなにを書いているのか、よくわからないという人もいるかもしれません。

申し訳ありませんが、そういう方とは端《はな》から相容れないというか〈たった独りのための小説教室〉という題名を楯《たて》に無視します。

文章センスは、ファッションセンスに似ています。

私自身も若いころ――頭に髪がたくさんあって長髪で、ベルボトムのジーパンが主流だったころは裾の長さにじつに神経質でした。ミリ単位の集中でした。

ところが友人のなかにはずいぶん無造作に裾をカットして、なかなかに珍妙なスタイルで平然と闊歩《かっぽ》している者もいた。

彼は、ズボンの裾の長さがおかしいということに気付かないのです。指摘しても、小首をかしげるばかりでした。

やがて流行も変わって、ベルボトムを穿《は》いているのが恥ずかしい時代になってオーソドックスなストレートが主流になると、ベルボトムのように地面ギリギリというセオリーが通用しなくなり、さらなるファッションセンスが要求されるようになりました。

たかがジーパンの話ですが、オーソドックスって、じつに難しいんですよ。

そのあたりで私は衣服に対して気配りをするのをやめました。ニッセンで充分と割り切りました。芥川賞の授賞式のときは奮発してユニクロのジーパンでした。

蛇足ですがユニクロのジーパンは薄手ですがカッティングその他じつにすばらしく、今回の病気のせいで三十キロ以上痩せたので十年、いやもっと前に購入したものですが、また穿けるようになりました。

世の中にはズボンの裾丈だけでなく色の取り合わせ、自身の体型に対する配慮等々、まったく意に介さない人がいます。

場合によっては当人はけっこうファッションに気を遣っているようなのですが、第三者からみると見事に的外れで、努力が無駄でしかない人がいるのです。

さらには自己主張をこめて崩したり、あえて外したりといったさらに高次元なスタイルの意味がまったく理解把握できない人もいます。

抽んでてファッショナブルな人の独創性はなくとも、理解できて一部分だけでも取り入れてものにするといったこととはまったく無関係な人がいるのです。

たぶんファッションセンスなるものは努力で身につくものではない。もちろん多少の勉強や失敗はいるでしょうが、センスのある人はファッション誌などからエッセンスをすっと吸収してしまうし、なかには初めから唯我独尊にして、そのセンスが抜群な人もいるでしょう。

おなじことが文章センスにもいえます。これだけ細かく説明しても、説明と描写の差を頭では理解できたとしても、実際に文章を書かせれば、無意識のうちにも文の冒頭に『父親の』と置いてしまう。関係性を滑らかに文章に埋め込むことができない。

『父親の』と頭に置くのは親切からだと主張する作家に問いたい。取説を持ちだすまでもなく、説明は常に記憶を要求します。

なんとかスイッチを左にまわして温度設定して、うんたらスイッチは時間設定という具合に記憶しないと説明を理解したことにはならないし、トースターを使えないわけです。

『父親の』と置けば名は『儀三郎』と記憶することを強要してしまいます。

けれど描写のなかに関係性を埋め込んであげれば、流れで儀三郎が父親であることはするっと読者の内面に這入《はい》っていくのです。

できる人にとっては、じつに簡単なことです。けれど、できない人はこれに気付きもしない。

残酷な話ですが、現実です。

第14講

テーマとモチーフ

働き蟻《あり》には哲学や詩、文学など不要なのでしょうか。

私も一日のほとんどを原稿執筆に費やしている相当な働き蟻ですが――。

哲学というと、たとえば会社経営者が上から目線で偉そうに垂れる経営哲学や人生哲学に類するものを漠然と哲学として受け容れている人の多さに啞然とさせられます。

高学歴であっても筋道に乗りさえすればこなせてしまう程度の社会生活を重ねていくうちに、結局は哲学というものに対する認識が、この程度にまで堕落してしまうという現実にうそ寒い気分になります。

もっとも講演が好きな作家と称する人たちのお喋りも知識やインテリジェンス、わかりやすい感動が盛り込まれている程度で、実質は会社経営者が口走る能書きと似たり寄ったりですから、ここはちいさく俯いておきましょう。

読書といえばノウハウらしき屁理屈が書かれたビジネス書か、以前礼賛したのでちょっとだけ首をすくめ気味に書きますが、司馬遼太郎の諸作に感動し、人生を学んだと得意げに述懐する人にけっこう出会う。ベストセラーとは、こういう人に支えられているのだなあとしみじみ思う。

司馬遼太郎の名誉のために書き添えておきます。ずいぶん以前のことですが〈竜馬がゆく〉を読みはじめて、十数頁読んだところで文庫本を閉じました。

読み易すぎる！

複雑な内容をごく簡単かつ的確な文章であらわしていて、まったく咽《のど》に引っかかることなく、するする飲みこめてしまう清涼感に、強い忌避感を抱いたのです。

私は職業小説家です。影響を受けることを避けるために、つまり保身で〈竜馬がゆく〉を読むのをやめたのです。

アマチュアの時代ならばともかく、『誰それに似ている』という言葉は、プロの小説家に投げられるもっとも屈辱的なものです。けれど、抽んでた作品を読めば影響されるにきまっている。

司馬遼太郎の罪は、司馬が執筆上、意を砕いてつくりあげた行間のすばらしさを、行間がまともに読めない読者にまで、すすっと読めてしまう文体に乗せてしまったことにあります。ほとんど言いがかりのようなものですが、文芸の難しさがここにある。

新人賞に応募しはじめた貴方に、ぜひ読んでもらいたい本がある。中島義道《なかじまよしみち》〈哲学の教科書〉講談社学術文庫です。個人的にはキリスト教に依拠している部分に若干の違和感（私自身がカトリックの施設で育ったので過剰反応しているのでしょう）を覚えますが、まえがきからして秀逸です。

——私は中学生のころ跳び箱なんて恐ろしく、まして「正しく」跳べないのに「跳び箱の跳び方」というペーパーテストは「教科書」を丸暗記していつもできていました。すごくおかしいと思いませんか？　こと哲学に関しては「教科書」はこうした「跳び箱の跳び方」のようなものでは困る。跳び箱の跳び方が頭でわかるのではなく、本当に跳び箱が跳べるようにならなければならないのです。

——世の哲学入門書は、哲学をあまりに無害なもの・品行方正なもの・立派なものとして語りすぎる。私の考えでは、哲学とはもう少し病気に近いもの、凶暴性・危険性・反社会性を濃厚に含みもつものです。人を殺してなぜ悪いか、人類が宇宙に存在することに何らかの意味があるか、どんなに一生懸命生きても私は結局死んでしまう……

聡《さと》い貴方は、引用文の『哲学』をすべて『文学』と読み替えてくれていることでしょう。跳び箱（小説）の跳び方、その方法を知っただけで実際にはまったく跳び箱（小説）を跳べない人の多さに、私はいつも俯き加減です。

〈哲学の教科書〉の目次、第一章に『最大の哲学問題は「死」である』とあります。貴方がこの部分も哲学を文学に置き換えて読んでくれたと信じて先を続けます。

私自身、独りでできる仕事として小説執筆を選択して、読者に愉しんでもらいたい一心で自分なりに娯楽小説を追究してたいしてたたぬうちに気付いてしまったのです。

小説という表現が描くテーマは、娯楽だろうが純だろうが大きく括れば畢竟《ひっきょう》『生と死』に尽きる——ということに。小説とはなにかと問われれば、生と死を描いた散文であると答えるしかない。

これに気付いた私は、以後、ぶれることなく執筆することができるようになった。

現代でも時代でも推理でもＳＦでも、どのようなジャンルでも、私の根底には『生きること死ぬこと』を描く——という揺るぎのない根源的な主題があるからです。

私はデビュー直後にすべての作品に通底するテーマ＝主題を見出しました。小説家として、じつに幸運なことであったと実感しています。

ちまちましたモチーフは、実作（執筆そのものに加えて、資料を読み込んだり取材に出たりといったことも含む）している苦労のさなかにこそ必要であって、けれどちまちましたモチーフに囚《とら》われて主題＝背骨がないまま執筆してしまい、書けないと頭を抱える人が多すぎる。

前講では『書けない』＝『書くことがない』作家について、辛辣なことを言いました。そんな作家にアドバイスします。

貴方は目先のことに囚われて些細《ささい》にしてどうでもいい抽象の罠《わな》、モチーフの罠にはまってしまっているのです。

いくらすばらしい旋律が泛んだとしても、それを統合する全体的な骨格がなければ、作品が成立するわけがありません。柱のない家を建てるなんて、無謀すぎますよ。

いま、新人賞に応募して現実の厳しさに直面している貴方も、じつは筋書きだの新奇性だの売れ筋だの、ちまちました些事に呪われてしまって、顕微鏡でプレパラートに封じ込めたはずのミジンコが見当たらず、必死で探しまわっている状態です。

ぜんぶ、棄ててしまいなさい。

筋書き？　そんなもの、いりません。主題を確実に摑んでいれば小説は自発性を発揮してくれます。漠然と書くから身動きできなくなる。あるいは細かなプロットをたてはしたけれど、主題が欠如しているから、先に進んでいくと行き詰まる。

売れたほうがいいけれど、売れ行きなんてベストセラー作家として名が定着していないかぎりカオスの領域です。

貴方に必要なのは、これから死ぬまで執筆し続ける小説という表現に必須の背骨、主題を見つけだすことです。

けれどネットでも小説教室とやらでも、ちまちました技術的な事柄ばかり。跳び箱、跳べないくせに——。

あえてこのあたりのことを微妙に避けてきました。実作すれば、必ずぶち当たる壁を実際に味わってもらったほうが、貴方のためになるからです。

貴方にはモチーフはあっても、テーマがないのです。

実際に執筆しつつ（これが重要）頭の片隅で、常に自分の描く散文の根底に据えるべき揺るぎなき主題はなにか、それを徹底的に考え抜きなさい。貴方自身が死に至るまで生涯用いることのできる根源的なテーマを必ず発見しなさい。

もちろん、貴方が見つけだす主題は『生と死』などという大仰なものでなくても一向にかまいません。

ただし、『生と死』という具合に簡単な文字であらわすことができるものほど、強度を持ち得ます。

字面はシンプルでも『生と死』に含まれていることは、じつは人間にとってすべてなのです。言語という抽象のすばらしく、なおかつ恐ろしい側面が、ここに如実にあらわれています。『生と死』の三文字ですべてを包含してしまっているのですから。

貴方が成すべきことは、自身の根源的なテーマを見つけて、それに含まれている象徴を余さず感じとることです。本質的な象徴さえ摑めば、表現は一気に安楽かつ苦渋に充ちたものとなります。

もちろん苦渋といっても、単なる苦しみではありません。苦渋こそが心地好《よ》いといいますか、砕いた物言いをすれば、工夫することが愉しくてやめられないという境地を与えてくれるのです。

こんどは『生と死』にどんな衣装を着せてやろうか――あれこれ思いを巡らせ、実際にキーボードを叩くことは、まごうかたなき悦楽です。主題と象徴を摑んだ上で執筆するということは、じつに愉しく胸躍る遊びなのです（技巧や技術的なことは、また別問題であることを断っておきます）。

相当、難しい課題を提示していることは自覚しています。誰にでもできることではありません。

でも、論理的にでも、直観的でもかまいません。背骨となる主題を己のものとした作家が、勝者となるのです。

繰り返しになりますが、主題は根源的であり、揺るぎない強度をもっているならば、じつは俗っぽいものでも安っぽいものでも一向にかまいません。『生と死』なんて気取る必要はない。ただしテーマとモチーフを混同しないように。モチーフに囚われていると沈みます。二度と浮かびあがれなくなります。

神は細部に宿る――僕はディテールにこだわっているんだとフローベールの能書きを持ちだして、中学生的な論旨のすりかえをするような人は、沈んで浮かびあがってこないほうが文芸の世界にとって幸いなことです。

前講で説明と描写の二例を挙げましたが、人間関係を明らかにしたいがために焦り気味に説明を冒頭に持ってきてしまうから、見透かされるのです。

小説を読む人が導入部に集中するのは当然のことです。冒頭から数頁のうちに、つまり読者の集中力がいちばん高まっているところに『父親の儀三郎』とおいてしまうのは悪手すぎます。抽んでた読者はこのあたりで漠然と書き手が一流か二流か直観してしまう、ということです。

たとえば物語の中間地点において『父親の儀三郎』をやらかしても、物語に取りこまれている大方の読者は、スルーする可能性が高い。べつに『父親の儀三郎』を配するのを勧めるわけではありません。が、用いるべきところには意図的に用いてかまいません。

執筆時、貴方が想定している読者がどの程度の集中力を持っているか、じっくり考えてください。

単に文章を紡ぎだすだけでなく、こういったことにまで思いを馳せ、計算するのがプロなのです。

第15講

行間を読ませる

小説における究極の描写とは『行間を読ませる』ということに尽きます。

行間というとじつに恰好いいのですが、身も蓋もない言いかたをすれば、詐欺師は肝心のところを語らない——ということに尽きます。念入りに誘導する手管を発揮するにせよ、被害者（読者）の願望その他を悪用し、無音の部分を被害者の頭のなかに泛びあがらせた思いで代用させてしまう。

詐欺師は、じつは肝心のことは『なにも語っていない』からこそ、被害者は脳内に泛びあがった言葉や思いや妄想に『自発的』に支配されます。

それは情報やデータ、つまり論理で説得するよりも、情緒的に甘誘《かんゆう》する場合が多く、感情、もっと砕けた言いかたをすれば慾望や願望や妄執に作用するから被害者（読者）は、その虚構から抜けだせなくなってしまう。

半村良の伝奇小説は、このあたりの呼吸がじつに巧みで、いったん嵌《は》まると抜けられぬ底なし沼でした。

駆け出しのころ、半村先生には、いろいろなことを教わりました。美味しい物もたくさん食べさせてもらいました。

もっとも浅草などの隠れた名店、伝統的な料理屋では、たとえば鰻《うなぎ》が私にはとても塩辛く感じられて、江戸の料理というものは確かに塩分過多だなあ——などと一人前のことを思ったりしたものです。

半村先生は江戸料理が大好きだった。美味い不味いを超越して、私は減塩糞食《くそく》らえの江戸料理の実体験をさせてもらった。

半文庫という駄洒落《だじゃれ》を冠した仕事場にもよく遊びに行きました。週刊誌連載が決まったときなど、十五枚程度の原稿の書き方、呼吸などを懇切丁寧に教えて戴きました。

半村先生は各新人賞で選考委員をしていたので、最終選考に残っても、差別用語のことで編集者とケンカして言うことを聞かず、平然と原稿を引きあげてしまうといった応募者にあるまじき私の図々しさを知っていて、この子は問題児だからなあ——と、呆れ気味に可愛がってくれたのです。

小説すばる新人賞受賞時に、まともなペンネームを考えていなかった私に、ちゃんとした芸名をつけてやれと〈小説すばる〉Y編集長に頼んでくれたのも、半村先生でした。

編集長の思いはわかりませんが、たぶん花村は半村からきているのです。萬月は千葉かどこかの海沿いを満月の夜にオートバイで走っている私のイメージだそうです。

そのときは、ふーん……と思いつつ、早く解放されたい一心で、それでいいですと逃げだしましたが、自著にサインさせられるときに萬の字が書けなくて——つまり自分で考えたわけではなく他力だったので筆名を書けなくてじつに恥ずかしい思いをしました。

私がたった独りに向けてこんな文章を書いているのも、半村先生にたくさん教えて戴いたからなのです。それが畢竟、私の自尊心を充たすにすぎない偽善であったとしても、貴方は私を利用すればよい。

行間について話をもどします。

マイク・スターンというギタリストのソロアルバムのタイトルに〈Between the Lines〉というものがありました。英語がよくわからない私でも『行間』という言葉が即座に泛んで、アメリカ人だって行間を読むんだなあ――と嬉しくなりました。アメリカ人を舐《な》めていますね。

アルバム自体はマイルスと共演したときのような荒々しいテンションではなく、滑らかなフィンガリングで隙間らしい隙間もなく、しかも注意して聴けば右と左のチャンネルにまったく同じ！フレーズを重ねていることもあって行間を読むどころではありません。同じフレーズを重ねていることに関して聴き直してみたところ、機械的な処理かもしれないとも感じられました。

ジョー・ベックがマイケル・ブレッカーの長く複雑なサックスソロを完璧なユニゾンで、あとから重ねるという超人的な聴力と技術を披露しているアルバムがありますが、それとはどことなくニュアンスがちがいます。

それはともかく、クールで密な音色の羅列であっても、スターンは行間を意識して演奏し、音楽的素養に乏しい私は、それを感じとることができなかった――という作者に突き放された読者の悲哀に似た感覚を憶《おぼ》えたのでした。

どのようなレベルの読者にも意図した行間のニュアンスをきっちり伝えられる能力と技術があるならば、それは小説家の究極の理想であり完成形であるといっていいでしょう。けれど、それは不可能です。まして速読めいた読みかたで、たくさん本を読むことに価値を見出しているような読者に対しては、成す術がありません。

私が井上靖の〈北の海〉を無限に繰り返して読むのは、井上靖の文章と私の読解能力および感受性がぴたりとリンクして、書かれていない、けれど井上靖が意図したニュアンスがふんわりじわりと私を包みこんでくれるからです。これほど心地好い読書を私は知らない。

同様のことが小川国夫の諸作（全集を入手して、とことん婬《いん》しています）や宇野浩二の作品を読み耽るときにも起きるのです。書かれていないけれど、行と行のあいだに隠されている絶妙なニュアンスが脊椎の芯に忍びやかに伝わってきて、肌をぞくりと擽《くすぐ》りつつ、私の知と情を同時に充たしてくれる瞬間の快楽は、極上の阿片《あへん》以上です。

書かずに伝えられることは、書かずにすます。

私自身、そうした基礎訓練をいまだに実作中の己に課していますが、なにぶん読者という対峙する相手があってのことですので、ちゃんと跳び箱を跳べているか不安です。

じっくり書き込む真剣勝負もいいけれど、マス大山《おおやま》の三年殺しも素敵です。読者の感情を乱すということにおいては、新当《しんとう》流塚原卜伝《つかはらぼくでん》の無手勝《むてかつ》流（三年殺しも無手勝流も、ちょい古いですね）が理想です。

行間は小説家の永遠の課題ということで、置くか省くかで小説家を悩ませる主語について考察してみましょう。

これは以前どこかで書いた記憶があるのですが、私は幼いころ父の関係で西欧、あるいは南米等のラテン系のカトリックやプロテスタントの神父や牧師と関係が深かった。

あるとき、ませていた私が勝手に本棚から取りだした谷崎潤一郎の随筆を眺めていたら（多少は大人の小説も読めましたが、このときは時間潰しで本を開いただけで読んでいたわけではありません）、背後に立ったカトリックの神父が、しみじみとした口調で私に訴えました。

「いいかい、一郎。じつはね、我々ラテン語圏の人間は主語の呪いを受けているんだよ」

一郎は私の本名です。彼は滞日二十数年、日本人よりも日本語に堪能で、父と一緒に翻訳の仕事をしていました。

ロマンス語は主語の呪いを受けている——という。

呪いという刺激的な言葉のおかげで、私の脳裏に深い印象を刻み、ずっと残っていたのですが、職業として小説を実作するようになって、その意味がわかった。きちっと勉強をしたわけではないので、謬《あやま》った解釈をしているかもしれませんが、ロマンス語だけでなく英語などもどうやら主語の呪いを受けているようだ。

言語の優劣を主語（その他）に絡めて論じる気は一切ありません。日本語はじつにすばらしい——などと陶酔する似非国粋主義者は唾棄すべき存在です。

すべての言語は、それを用いる人々の生活の場において等しく思考や感情などの伝達に奉仕する。それだけのことです。

ですから、それを念頭において、日本語は主語を省くことができる――というすばらしい機能上の特性を意識して、以後を読んでください。

翻訳調という文体があります。〈大辞林〉によると――外国語の表現が、そのまま日本語に直訳されているような独特の表現。また、そのような文体の作品――とあります。

すべての表現においてそうであるように、日本語的な文章とはちがった独特の律動と旋律をもった抽んでた作品を書ける作者がいる一方で、いらない主語が鬱陶しいだけの、スタイルの表層だけをなぞって得意がっている痛い小説家もいます。

小説家を職業とするようになってから、私は基本的に翻訳小説を読みません。

私は素直といいますか、ちょっと足りないといいますか、翻訳の悪文を読むと、それが脳裏にこびりついてしまい、ついついダメな翻訳調になってしまう部分があるのです。

パソコンの翻訳ソフトに毛の生えたような翻訳の海外小説を一冊読み通せば、必ず悪文が乗り移る。

致し方ないことであるとはいえ、翻訳小説のほとんどが西欧英語圏およびロマンス語圏のものばかりであることも、大東亜共栄圏を目指す？国粋主義者の私には、明治以降の白人に対する劣等感の醸成および大東亜戦争に負けたことを突きつけられて、じつに気に食わないのです。

それはさておき、小説家になる前はなんの屈託もなく愉しんで読めた海外のＳＦ小説などが、ひじょうに読みづらいものになってしまった。

これは日本語で小説を書く小説家として致し方のないことだと若干不服な気分のまま、受け容れていまに至ります。

もちろん、おまえは翻訳ソフトか？　と悪罵を浴びせたくなるような翻訳家がいる一方で、抽んでた翻訳をなさるすばらしい翻訳家もいます。

でも、反撥《はんぱつ》を覚悟で書いてしまいますが、ごく少数です。ほとんどの翻訳は学生アルバイトか、と皮肉を言いたくなるようなひどいものだ。前後の関係から、これって誤訳じゃねえのか——と推察できてしまうような場合もありますし。

さらに困惑してしまうことは、堀口大学などの翻訳を原文と照らしあわせてみると、超訳とでもいうべきオリジナリティにあふれていたりもします。こうなると半創作です。

もっともいままでは前述のとおり保身のために翻訳小説をなるべく読まないことに決めたので、諸々に苛立つこともありません。

結論です。主語を省く、省けるということが日本語の文章における行間の意義を高めているのではないかと推察しています。

たぶんマイク・スターンとは違うベクトルで、生まれてからひたすら日本語を用いてきた我々には〈Between the Lines〉があるのです。

第16講 文章を推敲する

今講は小さなことだけれど、とても大きなことを。

小説執筆において、重言はじつに恥ずかしいことです。〈馬から落馬した〉〈色が変色した〉〈ぐっすり熟睡する〉――無数に例示できるけれど、きりがないからやめます。

要は言葉を重ねて使う意味がない、あるいは表現が冗長になるといった不細工の極致が重言です。さすがにいまどき馬から落馬したと書く人は少ないでしょうが、貴方も思い当たるはずです。

二十年前のことです。小説家仲間から文豪と揶揄《やゆ》されていた作家がいました。とにかく大仰な人で、娯楽小説家のなかでは自分がいちばん文学的で文章が巧《うま》く慥《たし》かだと実際に口走るのですから、すばらしい自負です。

その方を貶める気はありませんから、微妙につくりかえて、その作家が誰でどの作品に書かれたものであるかわからないようにしてあることをお断りしておきます。

なにげなくひらいた小説誌のその作家の作品の最初の頁に『その食堂の広さは、広い』とありました。さすが文豪――と、軽く仰《の》け反《ぞ》ってしまいました。

同時に、なぜ担当編集者はそれを指摘しなかったのかと怪訝《けげん》な気分になりました。校閲を経ているのだから、こういった重言は絶対に指摘されているはずです。

もっとも『広さ』と『広い』は厳密には意味が違うので許容範囲であるとすることもできますが、それにしても重言以前にずいぶん不細工な表現です。

広さは広い——日常会話ではつい口にしてしまうこともあるでしょうが、小学生の会話レベル、小説の地の文章としてはあんまりです。

なぜ、こんな文章が放置されてしまったのか。私の推理では、その作家が文豪を自負しているので、担当編集者は機嫌を損ねたくないという保身から、校閲の指摘——えんぴつ——を消してしまったのではないか。

もっとも偉そうに書いている私自身、校閲から重言はともかく、無意識に重ねてしまった段落中の言葉をときどき指摘されて赤面しています。

難しいのは、意味が明確になる、強調される、新しい意味が加わる、そもそも意味の重なりではない——といったことから重言ではあるけれど、不適切ではない表現もあるということです。

〈製薬メーカー〉〈排気ガス〉〈いま現在〉〈死因は溺死〉〈中継がつながる〉——これもきりがないからやめます。

外来の言葉に馴染みのある漢語や和語をドッキングさせたものは、案外許容される。

また時制が関わる言葉や結果目的語のことなど、重言から外されるものもあるので、自身で勉強してみてください。

新人賞に応募する貴方には、校閲者がいません。自身で校閲するしかありません。推敲時、徹底して重言を見つけだすことが〈必ず必要〉です。

文章があるレベルに達しているならば、まずは重言を削っていきさえすれば、文章がぐっと締まり、なおかつ素人臭さが消えていきます（附随して、このオノマトペは必要なのか？　この比喩は適当か？　など客観的視点で見ていかなければならないことは幾らでもあります）。

なによりもこういった細かい作業が貴方の文章に対する底力とでもいうべきものを鍛えるのです。

そう。眼目は重言を見つけだすことが第一義ではないのです。

重言等々、プロになれば校閲者がしっかり指摘してくれます。校閲——すばらしいシステムです。文章で飯を食っている者は、校閲者に足を向けて寝られません。

ですから小説家として原稿料をもらうようになれば逆に推敲時に洩れ落ちてしまった傷も、冷徹な第三者の目にさらされることによって修正することができます。

けれど、まだアマチュアであり、修業中の貴方は推敲時、他人の眼差しで徹底して重言をはじめ文章の傷を抉《えぐ》りだしてください。

これを貫き通せる人は、文章技術だけでなく遺漏のない虚構構築ができる。

虚構とは、じつは自身を他者的視点で見る能力と密接に結びついているのです。

これができることこそが、才能です。暗記や記憶などといったメモリーカード的な質素で粗末な能力とは別次元の抽んでた力があるということです。

だいたい自己を真の客観視点で見つめることができる人は、じつは暗記力や記憶力も、試験秀才よりも優れています。

どう優れているかというと、第一に（たとえば当座の執筆に）不要な記憶を消去できること。つまり脳のキャパシティを不要なデータで埋め尽くして、創造力などの本質的な力のじゃまをしないようにできるのです。

しかも、こういう人は必要になれば即座に回路をつないで記憶を呼びもどせる。あるいは必要になったら百科事典でも引けばいいという合理的な割り切りが苦もなくできる。

第二に（これが重要なのですが）試験秀才や官僚のように記憶が決まりきった水路を流れるのではなく、自由自在かつ奔放に、つまり無数に穿《うが》たれた水路のあちこちに流れていくばかりか、ときに大洪水さえ起こして新たな視点を獲得できる。

シュールレアリスム的であるともいえますが、硬直した記憶バカには思いもつかない発想をこともなげにものにできるのですから、これは強い。つまり新人賞なんて楽々クリアです。

まとめます。自分の書いた原稿を完全な他人の目で見て冷徹に手を入れることができるようになること。

これは完璧な虚構構築に欠かせない能力につながっていくので、絶対におろそかにしてはなりません。

推敲とは付け加える作業ではなく、削る作業です。付け加えなければならないとしたら、その虚構が寸足らずだったという恥ずべき状態の証左です。

でも、じつは、呆れたことに、ほとんどの人は推敲ができない。できないにもかかわらず、できたつもりになっている。

当人は徹底したつもりで、存分に？手を入れた原稿の前で若干の疲労の伴う満足げな吐息などつくわけですが、**他人に厳しく自分に甘い**という人間の根源的な性癖といいますか問題点が如実にあらわれるのが、作文に類する文字表現です。

絵の上手下手は一目瞭然で、私には絵の才能がない——と見切りをつけるのは簡単ですが、誰にでも書けてしまう文章の好い悪いに対する自己判断はなかなかに難しい。

これを克服できるごく少数の人が、小説に限らず表現の世界で他者から賞賛を受けることができる。

もちろん努力云々ではどうにもならないことですが、たとえ才能があっても堕落や手抜きはじつに簡単に貴方の心に忍びこみます。心してください。

さて説明と描写についてあれこれ延々書き連ねてきましたが、ちゃんと自己判断していますか？

私は説明がいけないとは言っていない。必要ならばとことん説明してかまわない。私が大好きな大藪春彦は作中説明の連続です。

〈小説宝石〉で連載していた〈ヒカリ〉というホラーのオマージュとでもいうべき作品は、オマージュの連呼で気が引けますが、大藪春彦に対するオマージュとして原稿用紙にして五十枚ほどを量子論の説明に、同じく五十枚ほどをテー・ヴォスィムデスャート・オプロートという戦車とその水平対向ツーストロークディーゼル、六シリンダーピストンエンジンの蘊蓄《うんちく》＝説明に費やしてニヤニヤしています。

確固たる意図と意思があるならば、小説の書き出しに『享禄五年（一五三二年）』と記しても一向にかまわないのです。

要は手癖に堕落して、不要な説明をよりによって小説の頭に置く無様さに気付きもしない鈍にして貧なる感受性を糾弾しているのです。

小説家ならば、せめて書き出しの一文くらい、徹底的に頭を絞りましょうよ。単なるローテーションは見窄《みすぼ》らしい悲劇であり、苦笑いも泛ばない喜劇であるということです。

紙幅があれば小説という散文表現の中核とでもいいましょうか、これなしでは小説が成立しないという最重要事にして小説の問題とでもいうべきものを多々含んでいる『比喩』に移ろうと考えていましたが、今講は諦めましょう。

モーツァルトの自筆の譜面を見たことがありますか？　たぶん、譜面が読めない人であっても『ああ、なんか、いいな。素敵だな。弾んでるな』――と、よい気分になるのではないか。

おなじことが、文章にもあらわれます。私が〈文學界〉の新人賞の選考をしていたときに真っ先にしていたことは、最終選考作品のゲラ刷をバッと拡げて床に置き、個々の文字が読みとれぬくらい離れたところから、肩の力を抜いて静かに眺めるということでした。

モーツァルトの譜面ではありませんが、よい作品は文字の集積がつくるフォルムが端整で陰影が美しい。なによりも律動がある。

これは筋書きに奉仕する娯楽小説よりも純文学作品に顕著です。絵画的な美しさとでもいいましょうか、それがある作品は、たいがい受賞していました。

だから、まずは先入観なしにその作品の内容ではなく、姿かたちを愛《め》でる。そして、そのときの応募作でもっとも美しい作品から熟読していく。

さらに付け加えれば、これは落とすしかないだろうという駄作は必ず二度、読みます。貶《けな》すのだから、遺漏のないように読み込まなければならないという単純なことですが。

私が選考をしていて感心したのは、〈文學界〉ではありませんが、山本周五郎賞の選考にあがってきた吉田修一〈パレード〉でした。

どの頁を開いても、フォルムがよかった。一読して、これは絶対に受賞するだろうと確信したので、選考会では収束を急いでしまった終盤に苦言を呈しました。

もったいない、という思いからです。私があれこれ言ったって絶対受賞するにきまっているから、言いたいことを言えたのです（重言？）。

別の回の選考に、売れ行きが優れているからとあがってきて、選考委員全員が眉を顰《ひそ》めた某作家の某作品の汚れた褌《ふんどし》のような汚い字面とはじつに対照的でした。

第17講 比喩について1

木がある。
桜の木がある。
満開の桜の木がある。
花吹雪舞う桜の木がある。
桜の木の下には屍体《したい》が埋まっている。

さて、今回から比喩について考えていきます。私も考えるから、貴方も徹底して考えてくださいね。

私の言うことを安直に真に受けて自身の思考を止めてしまう他力は、やがて貴方を潰してしまいます。小説を書くということは、透徹した自力でなければならないという鉄則を忘れないでください。

もちろん許多《あまた》の書物から、あるいは他のジャンルから、さらには私の駄文からなんらかの暗示や示唆を得ることは悪いことではありません。それどころか積極的にむしゃぶりついてかまいません。

　ただし丸呑みするのではなく、常に自分というフィルターを通して、貴方にとって不要な雑味を濾過《ろか》し、お腹を壊さないように消化吸収しなければなりません。

　まずは『木がある』からです。木があると書かれていて、脳裏に海を泛べる人は皆無でしょう。そこになんらかの樹木があると解するのが当然のことです。

　けれど、この当たり前に、言語の罠と超越があるのです。あとで説明しますから心に留めおいてください。

『桜の木がある』という一文になると、木があるという漠然としたところから一気に抜けだします。

　桜の木という具体性は、揺るぎのないものです。ただし、どのような枝振りの桜の木であるかといった情報はまったく含まれていないので、各自が脳裏にある桜の木を勝手に思い泛べる——つまり書き手の指示は皆無といっていい。

　けれど小説という散文においては、作中、桜の木が別段重要な地位を占めるのでなければ、情景描写や比喩を重ねるよりも案外『桜の木がある』という一文だけで充分であることが多い。

　少なくとも次の『満開』や『花吹雪舞う』よりも文章の締まりという点で、ましです（自覚的に満開を置くならば、また話は違ってきますが）。

『満開の桜の木がある』と『花吹雪舞う桜の木がある』は似たようなものなので、まとめて括ります。双方ともに、それなりに桜の木の状態がわかるようになってきました。

ただ『満開』は説明にすぎないし『花吹雪舞う』は多少比喩の領域に足を突っこんできてはいますが慣用句にすぎません。

満開や花吹雪舞うというありふれた語句だからこそ状況説明にぶれはありませんが、桜の木のある状況の断面を紋切り型であらわしているだけです。

小説家である貴方は、こういう慣用句を用いることに多少の抵抗を覚えるのではないでしょうか。気のきいた比喩を用いたいという衝動を覚えませんか。

『桜の木の下には屍体が埋まっている』に移ります。梶井基次郎の作品においては木ではなく『樹』と表記されていますが、統一をはかるために、あえて『木』としてあること、そしてエクスクラメーション『!』を省いたことをお断りしておきます（出典〈桜の樹の下には〉）。

好悪はあるにせよこの一文はまちがいなく心象から派生した比喩であり、それも相当に抽んでた心象的比喩であることを否定できる人はいないでしょう。

この作品は、冒頭からすばらしい比喩の連続です。『よく廻《まわ》った独楽《こま》が完全な静止に澄むように』――どうです?

『完全な静止に澄む』鮮やかですね。絵が見えますね。『澄む』という言葉をおいた梶井の感性には、嫉妬を憶えます。青空文庫で読めるので、熟読してみてください。

桜の木と屍体の取り合わせは、一見シュールレアリスム的です。十七歳で初めて読んだときは、なんだ?　と眉間に縦皺を刻んで導入部を凝視した記憶があります。

もちろん梶井の狙いも、そこにある。読み手の気を惹《ひ》くために、計算尽くで仕掛けてあるのです。

けれどすぐに『満開』の、あるいは『花吹雪舞う』桜の木が、ある種の過剰なる養分を吸いとっているというヴィジョンが読み手の脳裏に立ちあがります。

屍体とあるのだから、埋まっているのは犬でもイノシシでもなんでもいいはずですが（実際、梶井は『馬のような屍体、犬猫のような屍体』と書いています）、なぜか私は、即座に成熟した美しい女の全裸屍体を連想して幽《かす》かに上気し、狼狽えてしまった。

品性下劣な私ならではの観念ですが、これも梶井が計算した性意識に働きかける仕掛けです。旺盛に咲き乱れる桜に仮託したエロティシズム、爛熟《らんじゆく》と腐敗の気配。身も蓋もないひどい物言いをすれば死した女体を連想できない人は不感的精神童貞であり、イマジネーションに若干の問題がある。

勝手に演繹《えんえき》してしまえば、性交のあとに恍惚《こうこつ》の残滓《ざんし》を隠しもせずに腰回りを熱く艶《なま》めかしい汗で濡らして虚脱し、横たわる全裸の無防備な女の軀は、まさに桜の木の下に埋めてしまいたくなるような生と死のあわいにある象徴的なものを露《あら》わにしています。

卓抜な象徴を底に隠したよい比喩というものは、このように読み手の想念を拡大し、まさに書かれてあることと以上の想像、夢想、ときに妄想の世界にまで読み手を運んでくれます。

けれど本音をあかせば、私は梶井基次郎が好きではありません。梶井は観念の奴隷ですね。

十七歳のころに悪さをしすぎて当時、家出して住んでいた神奈川県川崎市にいられなくなり、京都に逃げだしたのですが、いまは取り壊されてしまった京大の西寮、一泊百円の大広間に転がり込んだとき、一緒に寝泊まりしていた文学青年からインフルエンザに罹《かか》ったかの熱っぽい貌で熱弁をふるわれ、梶井基次郎のよさをさんざん吹きこまれ、〈檸檬《れもん》〉の八百屋が寺町《てらまち》二条角にあると教えられ、妙な義務感に囚われ、三条にあった丸善《まるぜん》で〈檸檬〉を立ち読みしてから、八百屋を訪ねました。

ほんとうの気持ちを書けば、私は〈檸檬〉になんら感興を覚えなかったし、イメージを刺激されることもなく、そればかりかごく短い作品にもかかわらず、立ち読みのさなかに退屈の大あくびを連発した。

〈檸檬〉の八百屋もちんまりしたもので、店先にレモンはなかったので、磨かれて並んだ林檎《りんご》でも万引きしてやろうかと悪戯心《いたずらごころ》を起こしたものです。

実際、いま読み返してみても「ああ、そうですか」といった投げ遣りなものしか泛ばない。

〈檸檬〉はまったく私にフィットしない作品でした。

あの文学青年は、いったいなにに感応していたのか、いまだに判然としません。もちろん職業柄〈檸檬〉は名作であることは悟れますし、もっともらしい継《つ》ぎ接《は》ぎの感想をでっちあげることもできますが——。

その一方で、好き嫌いをさておいて〈桜の樹の下には〉における卓抜な比喩は認めざるをえません。

『桜の樹の下には屍体が埋まっている』という一文の豊饒《ほうじょう》なイメージの奔流は、小説を書く者として羨望を覚えるばかりです。

おそらく、梶井自身は比喩をつくりあげたつもりはないはずです。直観的心象。比喩とは、こうありたいものです。

前講も山本周五郎賞の選考のことを書きましたが、さる候補作にワインの実際の銘柄をあげて比喩に用いていたものがありました。私はワインに詳しくないので、なにがなにやらといったところで対処不能でした。

もちろん『芳醇なワインのような』といった俯きたくなるような陳腐な比喩（実際に、あるのですよ！）に較べれば、その美文には充分に練りこんだ工夫がみられはしましたが、比喩として普遍性がないことをはじめ、他にも付き合いきれない気取った比喩の連発に辟易《へきえき》し、受賞に反対したところ、この作品を推す長部日出雄さんが唐突に立ちあがり、唇をわななかせ、凄い勢いでこの作品のよさを語りはじめ、私を指差すその指先が烈しくぷるぷる顫《ふる》えだし、脳の血管が破裂したらヤバいな——と腰が退《ひ》けた私は、わかりましたと長部さんに対して大きく頷《うなず》きました。私が選考の場で自分を曲げたのはこのときだけです。長部日出雄さん。素敵な方でした。

話を比喩の本筋にもどします。まず考えてみなければならないのは、比喩の欠片《かけら》も含まれていない『木がある』です。

木があると書かれていて、海を背景に潮風に揺れる木のイメージが泛ぶ人はいるかもしれませんが、海そのものを泛べる人は皆無です。

なぜでしょう。ここで貴方が思考を徹底して振りむけるべきことは、『木』とはなんであるか、ということです。

木は木でしょうが、ハハハ——と漫然と了解して文章を書いている貴方は、深みのある表現に至る可能性を棄て去って平気なのですから、少し頭が足りない。ここから先を読むのをやめなさい。

木は樹木一般、いや、すべての樹木の抽象です。抽象とは『個々の具体的な事物や観念から、一般に共通した性質だけを取り出して一つの概念にまとめること——〈漢字源〉』とのことです。

木がすべての樹木をあらわして揺るぎないのは、桜だの白樺だのバオバブだのといった個々の具体的な姿＝属性ではなく、木質の幹を有する植物——と定義される純化された性質のみを抽出して、ひとつの概念にまとめてあるからです。

だからこそ『木』と書いてあれば、木以外の何物をも思い泛べようがないわけです。

絵の下手な人が枯れ木を描けば、その絵を見た人は杖《つえ》の絵かな？　と勘違いする可能性があります。

けれど文字で『枯れ木』と書いてあれば、とりあえず枯れ木以外のものを思い泛べる人はいません。枯れ木は、あくまでも枯れ木なのです。

これが文字のすばらしいところです。抽象だからこそ万人の共通認識を基底にして誰にでも確実に伝わるのです（抽象というと、漠然とピカソの絵画のようなものを想起してしまう人がいるようです。さしあたり抽象絵画と本来の抽象は、まったく別のものと考えてください）。

これこそが言語における抽象の超越性であり、その超越は普遍性にあります。

情報伝達の程度も受けとる個々人の能力によって大きな差がありますが、それでも基本的に言語を用いれば『道路の右脇に桜の木があった』と誰でも相手に確実な情報を伝えることができます。

では、次に熟達した画家が枯れ木を描いたとします。十号程度の画面に定着された枯れ木は、枯れた木の姿ばかりか荒涼とした精神世界を静的に現出させて、無数に並べあげられた言葉よりも雄弁に人生の無常とでもいうべきものを貴方に感じさせる。

記憶で書いているので不正確ですが、ひとつの絵画を文字で説明すると、つまり情報量に換算すると百科事典一巻分ものテキストデータが必要らしい。

小説家の仕事は言語（行間を含む）を用いて読み手の脳裏に伝達的論理だけでなく、鮮やかな絵を描くことなのです。

難事であることは、実作した貴方なら理解できますよね。そこで比喩が必須になるのです。

第18講 比喩について2

文字は抽象だからこそ万人の共通認識を基底にして誰にでも確実に伝わる——と、書きました。

木があると書けば、誰に対しても木があるということが伝わるという一見、当たり前のことをねちねち腑分《ふわ》けし、言語の『罠と超越』の超越に関して語ってきたのですが、罠のほうは抛《ほう》ってておきました。少しは自分で考えてみましたか。

はっきりいって抽象を抽象で語るという、あまりおもしろくない事柄です。直観ですべてをつかまえられる才能があるなら、理論武装は不要です。

けれどまともな教育も受けず、直観で物事を解決してきた（私のことです）小説家でも、論理の鎧《よろい》を着用すると、躊躇《ためら》いなく剣を振るうことができるようになります。

言語の第一義はむろん伝達です。

特別な技術や習練なしに第三者に情報を伝えるために言語は存在します。

機能的な障害がなければ誰だって喋れるし書けます。若い人の拇指《おやゆび》を用いたスマートフォンのやりとりの電光石火ぶりは慣れの要素も強いのでしょうが、いやはや私にはとてもついていけません。

小説家という職業は、誰にでも操れる言語を用いて表現をなす――という他ジャンルにはみられない特異性があります。

絵画や音楽やプロスポーツなどは適性・才能・訓練と超えなければならない尋常でない明確な壁が幾つもある。

趣味で満開の桜の木をスケッチし、バッハの通奏低音を即興的に口ずさみ、硬球を捕手に向けて投げるといったことは誰にでもできます。

けれど文字を扱うよりもはるかに早く自身の限界を悟ることができます。

正確には、俺にはプロ野球選手は絶対無理だ～と否応なしに悟らされてしまう。夢は寝ているときに見ようと割り切ることができる。けれど安易に小説家を目指すと、じつに空恐ろしいことが起きます。

書けてしまう！のです。

なんとなく、小説らしきものが書けてしまう。ここで発揮されるのが以前にも指摘した『他人に厳しく自分に甘いという人の根源的な性癖』です。

俺も棄てたもんじゃないね――などと陶酔まじりに自画自賛し、ほくそえむ。

問題は虚構の質であり、虚構に対して映像的、心象的象徴を刻み込む比喩という小説ならではの特殊技能の優劣が問われる。

ところが、なにも考えずに小説を書く人は『花吹雪舞う桜の木がある』と書いて、自身の脳裏にある過去に目の当たりにした桜の老木を泛べて、満足してしまう。

当人は工夫しているつもりなのですが、そこにあれこれ比喩を加えていくと、紋切り型の陳腐化の見本のような代物ができあがる。『深い山の奥の清く静まりかえった美しい湖のような光をたたえた瞳』といった瞳に行き着くまでにやたら長々と比喩を羅列した一文に出合えば「こいつ、なーんにも考えてねえな」と投げ遣りな気分になって、実際にその本を投げだします。

いや、プロにだってこんな素敵な比喩を惜しげもなくぶちかましてくれる作家がいるんですよ。

皮肉な見方をすれば、ベストセラーとはこういった陳腐に支えられているともいえるので、いやはや小説は難しい。

もし、これが意図的であるならば、ここまで自分の程度を落とすことができる作家を私は本音で尊敬します。私自身、無様な恰好つけであることを自覚していますから。

どんな人にも小説らしきものが書けてしまう、という話でしたね。

誰にだって『木がある』と書けてしまう。誰にだって『満開の桜の木がある』と書ける。

けれど『桜の木の下には屍体が埋まっている』とは、書けない。

ここにプロ野球選手になれるかなれないかと同等の劃然《かくぜん》たる才能の線引きが存在する。言語を用いて表現する小説という表現はまったく罪つくりです。

言語は伝達という機能において超越的ですが、いざ表現に用いると、このような底意地の悪い罠を仕掛けてくるのです。

この罠から逃れるには、どうしたらいいのでしょう。私にだまされて小説を書きはじめてしまった貴方は、ここまで読み進めてきて、言語という『抽象の罠』にはまって微妙に立ち往生しているのではありませんか。

なにか比喩がしっくりこない、それどころか、まったくうまくいっていない——そう感じとることができた貴方は、有望です。無意識のうちにも抽象の罠に気付いているからです。『木がある』という純度の高い抽象は、読み違いの余地がない絶対的強度がある反面、なにかを大きく棄て去ってしまっているのではないか。

論理でも直観でもかまいません。そう感じて悩みはじめた貴方にごくシンプルな助言をしましょう（私は小説家になってしばらくして、言語という抽象は蹴倒しようのない強さをもっているけれど、なんか味も素っ気もないなあ。ったく専売公社〔古いですね〕の精製塩を舐めているかの雑味のなさだ——と直観的に不満を感じてあれこれ考えはじめました）。

捨象という言葉を知っていますよね。

当然ながら抽象と捨象は切っても切れない関係です。捨てる象（象とは目に見えるかたちの意です）にこそ、じつは小説の肝とでもいうべきものが隠れているのです。

捨象を定義する前に、概念について。

概念とは個々の物事に共通する性質を抜きだし、抽出したその性質を統合してあらわされた普遍的な表象のことで事物の本質をとらえる思考の形式です。

前の段落、遺漏はないけれど、ひどい文章だな。抽象的な事柄は、悪文の母であると開き直ります。

さて、概念は言語で表現されるということを記憶にとどめておいてください。抽象に似ていますね。

一方で、抽象絵画は成立するけれど、そして概念図はあっても、概念絵画？は存在しないのではないか。絵画の概念はありますけれどね。

概念は基本的に言語であらわされる。

だからこそ概念は小説の大きな柱となります。けれど概念といえば、なんとなく大まかな感じがします。

概念の『概』の字義は、おおむねといったニュアンスなので、大雑把なのは当然です。

概念概念と煩《うるさ》くてごめんなさい。概念とは事や物の概括的で大摑みな景色をあらわしたものです。

ですからこのような作品を書こうと構想するときには、概念を用いるとスムーズに事が運びます。あらましを脳内に図示するような意識でこれから執筆する作品全体の概念をつくりあげてください。

さて捨象ですが、概念を抽象＝抽出するときには必ずその事物や表象から排除されてしまう性質や側面が存在します。

この『捨てられてしまった象』を文字どおり捨象といいます。

貴方がすばらしい桜の木を見たとき、とりあえず見たということを確実に伝えるためには、老いた桜の太いが荒れた褐色の幹や地を這うような枝振り、思いのほか若やいだ鮮やかな桜色の花瓣《はなびら》のことなどを端折《はしょ》って、まずは「凄い桜の木がありました」と友人に告げるのが常道です。

さらに言葉を継いで相手に感動を伝えようとするにせよ、この瞬間だけを切りとれば、貴方は、貴方が見た（感動した）桜の姿のほとんどを捨象してしまい、概念的に語っているのです。もう、わかってきましたよね。

比喩というものは純度の高い抽象にではなく、この捨象のなかに含まれ、隠れている。これを『満開の桜』などという説明ですますのは、小説家としてのメンツに関わってきます。が、眼前の友人の脳裏に貴方が目の当たりにした桜の姿をわからせるのは、いかに比喩を用いても至難のわざです。貴方の頭の中にある桜の姿をそのまま寸分違《たが》わず友人に伝えるのは、不可能であるということです。

それどころか、すばらしい比喩を、凝った比喩を用いれば用いるほど、友人の脳裏には貴方の桜と別物の桜が生えてくる。

つまり桜の古木の姿を完璧かつ即座にわからせる卓越した比喩がなければ、素敵な比喩をいかに重ねようとも、貴方が感動した桜の古木の姿を伝えることはできないのです。

現実的には、言語すべてが孕んでいる抽象度の高さのせいで、無数の比喩、無数の言葉を並べれば並べるほど、焦点が暈《ぼ》けてきます。

なぜ、比喩にはこのようなまどろっこしさがつきまとうのでしょうか。まどろっこしいだけではなく、当人がすばらしい比喩だと思い込んで押しつけてくれば、小賢しい悪臭さえ漂うではありませんか。

比喩は、要は、譬《たと》え話にすぎない。

いきなり身も蓋もない結論です。けれどこれが真実なのです。

比喩には直喩・隠喩・換喩・提喩・諷喩《ふうゆ》――いろいろありますが、読み手が知っているであろう事物を借用し、それになぞらえてなされる表現＝他力という限界が常に見え隠れしているのです。

ですから鮮烈なイメージを与える前に、譬え話であることが読み手に仄《ほの》見《み》えてしまった時点で、その比喩は失敗ということになる。

それを避けるには、どうすればいいか。

小説家という職業に就いたばかりの駆け出しだった私が下した結論は、その頭の程度に合わせたじつにシンプルなものでした。

まずは、比喩をへらす。

不要な比喩は絶対に用いない。

それが徹底できたかどうかはともかく、貴方だって相手が得意がって譬え話の羅列で迫ってきたら、かなり鬱陶しいでしょう。

さらには、恰好いい比喩が泛んだときは、一応原稿用紙（スタートは手書きだったんです）

ひ中君
ウルサイ…

に置いてみる。けれど必ず削除する（ことになる）。

私にとって恰好いいものは、他人にとっては大概どうでもいい。それどころか小説の邪魔になるという悲しい現実的事実に即しての判断です。

遊び呆けるのにも飽きて、小説らしきものを書きはじめたとき、最初の妻に書きあげたものを読んでもらいました。

必ず私が入れ込んで書いた部分、とりわけ比喩が煩いと指摘されました。イラッときますし、傷つきました。

けれど彼女の指摘が正しいのです。私はチェックされた部分に二本線を引いて溜息をつきましたが、これによって私は自己満足の醜い罠から逃れる客観を得ることができるようになりました。

彼女はとても美しい人で、大恩人です。

いまでも実際に打ちはしないけれど、膝を打つような比喩が泛んだときは、一応はその段落に置いてみますが、彼女の面影を脳裏に描き、十中八九、削除します。

若かったころのような「だって、これ、恰好いいじゃん、もったいねーよ」といった煩悶や躊躇《ちゅうちょ》は、もはや一切ありません。

話がずれますが、小賢しいと読み手に軽蔑されるくらいならば『作者バカだねえ〜』といったあたりを貫徹したい。これがなかなかに難しいのですけれど。

そこで作品にあらわれるのは、案外オーソドックスな比喩で容《かたち》づくられたシンプルな世界ということになります。

このあたりはスタイルの問題で、眩《まばゆ》いばかりの比喩で圧倒するという方法も当然ながら、有り得ます。

私が比喩に距離をおくようになったのは、三島由紀夫の某作品の山場における比喩がなんとも古臭く感じられて、比喩というものは案外賞味期限が短いものなんだなあと実感したのと、まだ自身が小説家になるなどとは思ってもいなかったころに、この汲めども尽きぬ比喩の連なりは凄い！と感動し、顫えるように読んでいた作家の作品が、小説で飯を食うようになってから、つまり実作するようになったとたんに、耐え難い悪臭を感じるようになってしまったからです。

その作家の比喩が要領のいいキャッチコピーの羅列にしか感じられなくなってしまったのです。

自分でもこの感受性の変化にはなかば呆気にとられましたが、実際に書くということは、ずいぶん自身の感情と知性、審美眼を鍛えてくれるものだと実感しました。

第19講 比喩について3

比喩について書く前に、重要なことをひとつ。

先々職業小説家として文章が巧い、優れた文章であると賞賛されたい気持ちがあるならば、絶対にしてはならないことがあります。名詞止め。体言止めです。

そもそも体言止めは、俳句をはじめとする文字数が限定されている表現に用いるものです。記されていないこと＝行間を読ませる卓越した機能があります。

よい句は必ず作者の明確な心象が背後にあり、徹底的に削ぎ落とされた語句により、読み手に作者が見た絵を明確に伝えることができます。

一句つくるのに、どれだけ言葉を削ぎ落としてあるか！　これが俳句や和歌のすばらしさであり、体言止めの力です。

けれど文字数に制限のない小説という散文に体言止めを用いると、当然ながら散漫になります。引き締まっているようにみえて、表現から深みを奪ってしまう。

憶かに読者は行間を読むように、体言のみで抛擲《ほうてき》された書かれていない部分を自身の想像力で補って読み進んでくれます。

ですから体言止めは小説を多少書き慣れてきた人にとって、なかなかに誘惑が強い表現方法です。

しかし体力皆無の貴方がこれをすれば、いずれ非力なまま荒海を泳がなければならなくなります。

実際に体言止め主体で作品をつくりあげてきた作家が、体言止めを排した当たり前の文章で書いた作品が、編集部員の嘲笑を浴びた――という内輪話もあります。体言で止めてしまわないで、きっちり文章をつくりあげましょう。

自らを鍛えあげて抽んでた腕力をもてば、いかようにも力を抜くことができ、悠々と泳げます。意図した体言止めを用いれば、作中に楔《くさび》を打ち込むこともできます。けれど楽をして非力なままだと、溺れ死にます。

体言止めに定評がある作家もいます。けれどその作家は、純文学の分野で十年以上もの下積みを経てきているのです。初心者に毛の生えた程度の貴方の出来の悪い新聞記事のような体言止めと、その方の体言止めがまったく別物であることを悟れないようならば、小説家になることを諦めたほうがいい。

唐突ですが手塚治虫と楳図かずお、どちらの作家が好きですか。

我が家では小四と小二の娘たちがマンガにはまっていて、ねだられるがままに私は昭和のマンガを古本で全巻一揃《ひとそろ》いといった買い方で与えています。

過日、手塚の〈火の鳥〉と楳図の〈わたしは真悟《しんご》〉全巻が届きました。〈火の鳥〉は抛り込まれていた悪ガキ収容所から出ることができた十五、六歳のころに〈COM〉という雑誌でときどき立ち読みし、のちにまとめて読んでいます。〈わたしは真悟〉はもう少し後に、〈ビッグコミックスピリッツ〉で読んでいます。正直にいって両作品、そのころはあまりピンときませんでした。

どちらも並の作品ではない、ということくらいはわかりましたが、趣味ではないといったところでしょうか。

それが、六十もなかばになって〈わたしは真悟〉を貪り読みました。〈火の鳥〉は第一巻を読んだら、お腹が一杯になってしまい、二巻目には手が伸びませんでした。

〈わたしは真悟〉も集中できたのは、東京タワーから飛び移る場面までで、残りの巻は惰性気味でしたが、それでも〈火の鳥〉とはちがって最後まで読みとおすことができたのでした。

どちらも優れた作品ですが、この差異はどこからきているのだろうと考えこんでいたところ、私が夢中になっているのが気になったのでしょう、妻が〈わたしは真悟〉を読みはじめ、全巻読み終えて『楳図かずおは天才だ』と静かに呟《つぶや》きました。

私の心にわだかまっていた得体の知れないものが、一気に氷解しました。

天才という言葉を安易に遣うのはよくないことですが、作家の二つのタイプの象徴としてあえて遣います。

楳図かずおが天才だとすると、手塚治虫は超越的秀才です。人によっては手塚治虫が天才なのだ！　と力説する方もいるでしょう。否定しません。これはあくまでも私の感じ方ということで収めてください。

画力、筋書きおよび構成力、キャラクターの描き分け、背景の的確さ、整合性、省略の巧みさ、すべてにわたって手塚が抽んでていることは論を俟《ま》たない。あえて毒のある言い方をすれば、そのケチのつけようのない徹底的に統合されたそつのなさは、凄い！

楳図はというと、絵柄からして偏執的に描き込んではありますが、手塚と比較すると可哀想です。ストーリーの組み立てその他、じつに要領が悪い。ロボット＝真悟だって手塚が描けば、もう少し『らしい』ものが現出したことでしょう。

にもかかわらず〈火の鳥〉にときめかず、〈わたしは真悟〉に熱狂した。私が数年前から量子論に夢中で勉強を重ねてきたこともあるのでしょうが、映画〈トロン〉の影響を受けたと思われる真悟内部の電子？の描写など、一瞬気が遠くなるくらいの恍惚に運ばれました。

こういったヴィジョンを与えられれば、東京タワー以降のストーリーが案外当たり前のところに着地してしまっても、新たな恍惚を与えられるのではないかと期待して頁を繰るしかありません。

章ごとの扉絵もじつにすばらしく、さとるとまりんが紙袋を被っている扉絵など、拡大コピーして壁に貼りつけておきたい衝動に駆られました。

もう、気付いてもらえているでしょう。マンガ家だけでなく、小説家も強いて分類すれば秀才と天才に区分けされることを。

手塚ほどの超越的秀才はなかなか存在しませんが、単なる秀才はいくらでも転がっているのが小説家の世界です。

けれど楳図的天才は、なかなかいない。

〈世界大百科事典〉第二版の宮本忠雄氏の記述から天才について抜粋すると──〈守護神〉や〈守護霊〉を指すラテン語ゲニウス genius に由来し、古くはこういう神や霊が天賦の才をさずけてくれるものと考えられ、〈天才〉という漢語も〈天から分かち与えられた才能〉を意味する言葉として使われ──〈神童〉という概念も昔から中国や日本で流布しているが〈神童〉は〈はたち過ぎればただの人〉になる場合があるところが違う──ドイツのランゲ・アイヒバウムは、天才の要素として（1）卓越している（2）感動を与える（3）人の心を引きつける（4）なにか特別な、異様なものをもつ、という四つをあげ、これらが同時に作用するときに〈神聖な天才和音〉が共鳴しあう。

とのことで、天から分かち与えられた才能をもつ人に、そこそこ秀才といった凡人が勝てるはずもありません。

私が楳図に感応してしまったのは『なにか特別な、異様なものをもつ』といったあたりでしょうか。

手塚と楳図の並列で、しみじみと才能について考えさせられてしまいました。

描かれたものも畢竟比喩であるとするならば、手塚と楳図を吟味すると、作品における比喩の扱いもまったく別物であることが泛びあがってきます。

手塚の場合、その背後に並の秀才には成しえない途方もない勉強と解釈が隠れています。結果、過不足のないじつに要領のよい比喩が並ぶのです。

読み手に普通の頭脳があれば論理的にわかる比喩と言い換えてもよいでしょう。これは普遍に通じる、じつは途轍もないことなのです。ただの秀才には不可能です。

楳図は勉強云々よりも、感性でぐいと摑みとり、その比喩をねちねちと画面に定着します。美術学校の宣伝に『感性はバカ者の逃げ口上』という秀逸なものがありましたが、ある種の才を天から授かった者は、まさに感性ですばらしい創作を成しとげてしまいます。

だからこそ〈わたしは真悟〉においては佐渡島のあたりから私は正直なところ、頁を繰るのがしんどかった。

けれど東京タワーの場面までのテンションで、すべては帳消しです。

手塚のヴィジョンは私たちの精神にどこかで通底しています。

が、楳図のヴィジョンは一見ありがちで、けれど微妙に私のヴィジョンを裏切ってくれました。

マンガにおける絵面は、じつは比喩なのです。楳図の塗り絵のような人物も、手塚の流麗な人物も、その作者の思惟《しい》と感受性が結実した象徴であり、大胆な省略と選択で私たちに描かれているもの以上のイメージを与えてくれます。

マンガは当然絵が主で科白《せりふ》は従です。絵が圧倒的な情報量を誇るということを以前、書きました。

小説家は言語のみでヴィジョンを示さねばならないという難事を背負わされているのです。小説家は、具体的な絵ではなく、抽象的な言語を用いた比喩で、透徹したヴィジョンをつくりあげる大変な創作を強いられているのです。

日本語が書けるからといって、安易に手をつけてはならないジャンルであると口を酸っぱくして訴えている所以です。

いまはもう小説を書いていないようなのですが、十年いやもっと以前、某小説家がなにかの受賞パーティの会場で、なぜか私に訴えました。

『僕はこれからの仕事で、自然保護を訴えていくつもりです』

『ふーん。具体的には？』

『森林保護官を主人公にしたものを構想しています』

『凄いね』

『我慢ならないんですよ、自然破壊が』

私は肩をすくめて彼から逃げだしました。

森林保護官てなんですかぁ？　自然保護ですね。はいはい、正論でございます――私の内面では彼に対する嘲《あざけ》りが雑に湧きあがっていました。

私が自然保護を訴える作品を書くならば、徹底的に自然破壊する救いのない作品を書きます。

小説家は正論に堕落してはいけません。

正論なんて政治家や教師にまかせておきましょう。

宿題です。

正論は、大きく比喩を裏切ります。回答は示しません。天から与えられた才によって選ばれた貴方は、このことを徹底的に考え抜いてください。

第20講

新人作家の心得

現実的な話をします。才能あふれる貴方は新人賞を受賞して結果を出しているかもしれません。

冗談で書いているのではありません。才能ある貴方はこんな駄文など読まずに、とっくに職業小説家として独り立ちしているに決まっています。

いままでも諄《くど》く書いてきましたが、才能とは、自分であるなしを判断するものではありません。

身も蓋もない物言いですが、見ず知らずの他人が貴方の本を金を出して買う――ということに才能は集約されてしまいます。

利害関係のない第三者が、自腹を切って貴方の本を買い、愉しむ。

凄いことですね。

もちろん私は金銭の話をしているのではありません。貴方の知らない、この先絶対に顔を合わせることもない誰かが貴方の本を選択して、少ない収入を遣り繰りし、対価を支払ったことに思いを巡らすと、幸福感と同時に背筋が伸びるでしょう。

リーマンショックとやらで金融資本主義、雑に要約してしまえば、すべては金に換算できるという究極の資本主義が倒壊してしまったというのに、新型コロナでぐしゃぐしゃにもかかわらず、いまだにその次のシステムの見通しが立たぬ混沌としたこの世界において、貴方は古典芸能のように国家の補助を当てにしてかろうじて生き残っているのではありません。

新人賞という関門をクリアしたことから始まって、貴方に才能があると認めた出版社が貴方の本をつくり、定価をつけて売る。

才能にも優劣はあり、売れ行きにもピンキリがありますが、貴方の本がまがりなりにも流通しているならば（除く、自費出版）、自身の才能という得体の知れないものの裏付けとして率直に受け容れ、気持ちを大きくもちましょう。自信をもちましょう。新人の心構えは、これに尽きます。

新人のうちは、連載でも書きおろしでもいいのですが、依頼が絶えることなく続き、執筆が軌道に乗るまでは大層不安なことでしょう。

貴方は、まず小説家としての自分が所属する階級、階層を自覚してください。

たかが新人賞を受賞しただけなのです。受賞作を含めて本が数冊出たばかりなのです。場合によっては受賞作が小説誌に載ったきりで以降の原稿にＯＫが出ず、第二作がまだという屈辱的な境遇にあるかもしれません。

が、それは、貴方の才能の問題なので、私には肩をすくめることしかできません。

貴方は間違いなく職業小説家です。けれどピラミッドの最底辺に位置するということを卑屈にならずに、自覚しなさい。この自覚から始めれば、勘違いからおかしなことに陥らずにすむ。純だろうが娯楽だろうが原稿を金に換えることに差異はありません。金融資本主義の倒壊などと大仰なことを吐《ぬ》かしましたが、貴方は未来までをも金に換算してしまう過酷な、しかも終わってしまった資本主義の渦中に抛り込まれたのです（金融資本主義の本質は、金貸しが貴方の未来を収奪することによって利益を得るということに尽きます）。

貴方は零細企業どころかまともな資本金さえもたない、自分の才能しか頼ることのできない商売を始めたのです。

この作家商売は基本的に営業は不要です。よい作品を書けばいい。つまり最初の読者である編集者を納得させて、もっとこの人に書かせたいと思わせれば、それでいい。

ある会社勤めをしている新人賞受賞者が、受賞後にお礼の菓子折をもって午前中に編集部を訪れたそうです。ところが部内にはアルバイトの学生しかいなかった。

当然です。午前零時過ぎまで売れっ子作家を銀座の飲み屋で命を削って接待している——なかには酒と女が好きでたまらずに経費でバー通いしている編集者もいるでしょうが、基本、二日酔いと寝不足の編集者が出社しているはずもありません。

ところで売れっ子ですが、たくさん客がつく娼婦＝売れっ妓《こ》からきた言葉です。作家という賤業《せんぎょう》にふさわしい言葉です。私は本気でそう思っているのです。

客が絶えない人気抜群の娼婦の振る舞い、客あしらいを思い描いてください。

最後は客の慾望を充たすために内臓まで曝《さら》すわけですが、その前段で彼女は客とのあいだに生じる複雑至極な精神の綾を気負いなく自在に操る。

これがプロです。小説家として自立するための重要な示唆を感じとれませんか？

さて、菓子折。この話を聞いたときは私も駆け出しでしたが、なんとバカなことを、と苦笑しました。

菓子折をもっていって次の仕事がくるなら世話がありません。営業をするなら、菓子折ではなく新作を持参するべきでしたね。

案の定この新人作家は私の知るかぎり本を出していないようです。

考え違いをしないでください。貴方の売り物は作品で、それなりの利益を出版社にもたらすようになれば、貴方は接待される側になるのです。

ただし、まだ貴方の階級は底辺です。

まずい料理屋には、客がこない。素材はよくても調理が雑な料理屋も微妙だし、まずくなくても、店自体を知られていないならば客がくるはずもない。ごく単純なことですが、しっかり念頭において執筆してください。

さて、幾つか新人賞の選考を手がけてきた私ですが、受賞者に必ず命じてきたことがあります。絶対にエゴサーチをしてはならないということです。

ある選考時、私はその方の作品の小説らしくないところを評価して、このまま小説を逸脱していけば、かなり新しい書き手として大成するのではないかと窃《ひそ》かに期待して強く推しました。

こういう期待を抱いたときの私は強引ですから、この方をちゃんと受賞させました。

けれど——。

この方はネットで自分の芸名《ペンネーム》を検索にかけて、逐一目を通すという愚行に励んでしまったのです。

ずいぶん昔のことですが〈2ちゃんねる〉で、自分がどう評価されているかを見るのは恐ろしすぎますから、某人気作家がどう書かれているか覗《のぞ》いてみました。

いやあ、凄まじい。素人に毛の生えたような輩《やから》が言いたい放題でした。呪詛《じゅそ》に充ちているといってもいいくらいに凄まじい悪意でした。

こりゃあ俺のことなどよく書かれているはずがない——と悟り、精神衛生のためにそれ以来こういった掲示板の類いだけでなくAmazonの評価等も含めて一切覗いていません。

私がほぼ必ず覗くのは、メールがセキュリティソフトに撥《は》ねられないという利点のために編集者との仕事のやりとりに使っているmixiと、〈ロケットニュース24〉だけです。自身に関することを覗き見さえしなければ、日々はいたって平穏です。

そもそも新人賞受賞者である貴方、そして貴方の作品が掲示板等で、すばらしい作品だと絶賛されていると思いますか。

掲示板で悪意を振りまいている人のなかには、新人賞に応募しても二次選考止まりの悲しい人も多いのではないか。

無記名だからこそ言いたい放題、そんな痛ましい人たちの嫉妬と妄想から放たれる悪罵を自ら浴びに出向いて、大きく傷ついてしまう。

こういうアホな新人にかぎって傾向と対策を得るためにと弁解するんです。勘弁してください。傾向と対策が通じないことはさんざん口を酸っぱくして言ってきました。正解が一つの入試なら、傾向と対策大いに結構、けれど小説家の仕事は正解を自らつくりだすということに尽きるのです。

つい傾向と対策に目がいってしまうのは入試を経てきた貴方の大弱点です。きっちり矯正するように。

そもそも傾向と対策なんて、誰だって無意識のうちにしているものなのに、それなのにさらに入念にエゴサーチ、自ら傷つけられに出向くのは、自殺行為です。

さて、小説らしくないことを評価した受賞者の二作目に目を通して愕然《がくぜん》としました。ひどく拙いという注釈がいりますが、小説を書いてきてしまった！

なぜ、こんなものをと問い詰めたところ、エゴサーチをしたら、あの受賞作は小説になっていないという声がけっこうあって、だから——と微妙な表情で釈明したのです。

その目の奥で揺れるものは、あきらかに深く傷ついている気配でした。まともに創作もできない有象無象のもっともらしい意見＝罵詈雑言《ばりぞうごん》を真に受けて、自分のよさをねじ曲げてしまったのです。ああ、この人はもうだめだな——と直感しました。

肝に銘じてください。とりわけ新人のうちは、絶対にエゴサーチをしてはいけません。エゴサーチ、言い換えれば雑念です。

貴方には担当編集者という相棒がいるのですから、掲示板等を覗くのに割く時間があるなら書きなさい。ひたすら編集者に向けて書きなさい。

問題は編集者もピンキリということですけれど、多少なりとも仕事の幅が拡がれば他社の編集者とも付き合うようになります。必然的に編集者のランク付けができます。

問題は入社試験をクリアしただけなのに勘違いしている無能な編集者の存在です。新人賞を受賞してもいわばまぐれにすぎない人と同様に、編集者にもまぐれで出版社にまぎれこんだ人がいるわけです。

まともに仕事をしない（能力的に、できない）編集者にあたると悲惨です。だめな受賞者と同様、こういう編集者も自尊心だけは人一倍ですから。

加えて、新人の貴方は、編集者の者をとって『編集さん』などという奇妙な呼び名を用いないように。こういう見苦しく冴えない迎合をする必要はありません。

貴方は個人経営の一国一城の主。サラリーマンに媚《こ》びを売ってどうするのですか。

もちろん、だからといってヒエラルキーの最底辺にある貴方が横柄に振る舞うのは愚の骨頂ですが。

同じく、新人編集者にも言っておきましょう。編集さんなどと揉《も》み手《で》で近づいてくる新人を邪険に扱ってはなりません。どこでどうひっくり返るかわかりません。いいですか。人は屈辱を忘れません。貴方が雑に、邪険に扱った新人が売れてしまったとき、こんどは貴方がどういう扱いを受けるかに思いを致してください。

新進作家にも編集者にも頭の痛い内容になってしまいました。おまえは何様だ、と言われてしまいそうです。

でも三十年以上途切れることなく仕事をしてきて、現在六十八歳、血液の癌だというのに頭と指が働くというだけでベッドで連載を六本、月産三百枚ほどを書きあげる私です。私には、貴方がたが甘っとろく見えて仕方がないのです。

第21講 比喩について4

比喩について書くのにも飽いているのですが、抛擲するわけにもいかない。

『〜のようだ』に代表される直喩も、譬えのかたちを取らない隠喩も、それを用いる小説家の意識とセンスにかかっているだけなのですから、定型など提示できるはずもありません。

ただ、無自覚に比喩を用いている人が多すぎる。これは不細工です。素敵な、すばらしい比喩が泛んだとき、それが作品の流れを阻害しないかじっくり思い巡らしてください。

実作する前に、貴方は小説家として比喩にどのように対するか、真剣に、徹底的に考えてください。

『無自覚に比喩を用いている人が多すぎる』と書きました。小説って、こんなもんでしょという安い見切りが透けて見える緩みきった間抜けです。

娯楽小説ならば、それがわかりやすさとして許容される場合もありますから、安いか高級かはあまり意識する必要もないかもしれません。けれど純なる文学誌に作品を載せるとなると、それは通用しません。

なぜ私が偉そうにこんなことを言えるのかといえば、私は〈Cobalt〉と〈文學界〉に同時に書いていたからです。

先ほど〈群像〉と〈小説すばる〉の連載を同時進行で書き終えたところです（〈小説すばる〉はまだ連載が続いていますが、とっくに最終回まで書きあげてしまいました）。

これからは〈読楽〉と〈小説宝石〉と〈すばる〉で連載を始める。つまりコウモリなのです。私にとって〈文學界〉も〈Cobalt〉もイコールなのです。純だの娯楽だのといった区別は一切ない。同じ心構えで書くのみです。コウモリの矜恃《きようじ》です。

もちろん純のほうが圧倒的に自由です。〈群像〉で連載していた〈帝国〉という作品は、三億年前の人類と図書館の話です。単行本になったものをめずらしく読み返し、意外な面白さに、我ながら傑作だと自己満足しました。

けれど娯楽誌ではたぶん難しい内容です。三億年前の人類というあたりまでは、虚構としてかろうじて許容されるかもしれません。けれど私の趣味を抑制なしにぶちまけていますから――以下略。〈群像〉編集長Sの放任のおかげです。

そう。放任なのです。

あまりに駄作だったら文句も出るでしょうが、純文学誌では編集者の意向その他、基本的に一切ありません。すべては自己決定、作者に委ねられています。

象徴的なのがルビです。作者が意図して振ったもの以外に『ふりがな』なる親切は存在しません。

逆に娯楽小説誌ではルビその他に対してフォーマットがあります。ゲラの段階でいちいち親切にあちこちにルビを加えてくる。社内基準まである。

字面からイメージを感じとってほしいという意図であえて振らなかったのに御丁寧に振られると、苦笑いしてしまいます（私は幼いころ、読めない漢字を見つめて、なんらかの心象を得ていたこともあり、読めることがすべてではないと信じています）。

同時に、校閲から語句の統一の指摘も入ります。語句の統一なんて純文学誌には一切ありません。作者は絶対的な自由を与えられる。でも――。

売れませんよね。娯楽小説作品に売れ行きでは絶対にとどかない。

売れればいいというものではないが、文学者面、芸術家面して心のどこかで開き直っているのも不細工すぎる。

私に自虐趣味はありませんが、文学誌で好き放題して、制約で雁字《がんじ》搦《がら》めの娯楽誌に帰ってくると、その縛りがなんとも心地好い。

野放図な自由は、文学だからというエクスキューズのもと、往々にして（精神的）散漫をもたらします。

作品自体が案外散漫から免れるのは、自由という名の刑に処せられている純文学作家が、文章そのものに自己存在をかけて娯楽小説家など及びもつかない集中と工夫を凝らしているからです。

娯楽小説家はこのあたりがじつに緩く、お粗末ですが、けれど読者層を考えると、文学的工夫などしないほうがましともいえます。

コウモリは自由な世界と規制だらけの世界を行き来し、それぞれに愉しい苦しさとでもいうべきものを味わう。

自由の苦しさ、規制の苦しさ。自由に飛びまわったあとにジャンプを抑えられ、飛べる範囲内でいかに高く飛ぶかという、逆に表現を縛られることによって生じる純化に胸をときめかせるのです。

恰好いいですね。けれど所詮はコウモリの羽ばたき。目くじら立てずに好きなところに飛翔させてあげてください。仕事の依頼があるかぎり、私は一切媒体を選びません。

〈小説すばる〉連載だったということで、これを読んでいる選ばれた貴方は、エンタメ（わざと意地悪く略してみました）小説は腐るほど読んでいるでしょう。

ですから文学という自由なジャンルを象徴するテキストを一冊、提示しておきましょう。吉村萬壱〈虚《うつ》ろまんてぃっく〉です。

吉村萬壱は〈ボラード病〉などで評価が高い作家ですが、貴方に厭な気分を起こさせるためにあえて〈虚ろまんてぃっく〉を推します。

冒頭の二次元の絵解きのような〈行列〉から、貴方は神経を逆撫でされるでしょう。〈家族ゼリー〉に至って、良識ある貴方は、本を閉じてしまうかもしれません。

けれど、これが純文学なる表現の本質なのです。

なにを、書いても、いい。

〈小説すばる〉に〈家族ゼリー〉が掲載されることは想像できませんが、これを平気で載せてしまうのが〈文學界〉なのです。

じつはコウモリであるがゆえに純にもエンタにも知り合いの編集者がいる私は、お節介にも幾人かのエンタメ小説の作家に純で自由に書かせようと目論んだことがありました。

ところが――無用な劣等感?をもっているエンタメ作家は、あっさり純という看板に負けてしまい、呆れてしまうくらい硬直した文学的作品?を、書いてきてしまう。もちろん、掲載には至りません。

エンタメの制約を外したらすばらしいものを書くのではないかと期待して、三人ほどお節介をして、諦めてしまいました。

あえて言ってしまいましょう。純文学なんて〈家族ゼリー〉でいいんですよ。

〈家族ゼリー〉でなければ、ならない。

純という不純は、なにを書いてもいい。

無礼を承知で書きます。なんと頭の悪いエンタメ作家か。俺みたいにコーモリになれよ――といくら言っても、通じない。

文学なる得体の知れない幻影から逃れられずに、自分の精神の奥底とまったく無縁の、アマチュアにありがちなスタイルだけの似非文学もどきに陥ってしまう。

エンタメが抱えている無意味な文学コンプレックスは、じつに痛々しく見苦しいものです。結論です。書く媒体によって表現スタイルを変えるのはプロとして当然だけれど、じつはそれを変える必要などない。変えてもいいけれど、核となるものは同一でなければならない。

貴方の精神は、貴方のもの。正しい自尊心を持ちましょう。

極論すれば純は中途で抛りだしても怒られないけれど、エンタではオチがないとうまくない。けれど娯楽小説だとしてもその作品、オチが必要ですか？　落語のようにオチがあるのは落ち着きがいいですよね。

でも、オチというものはダムなんです。貴方の作品の流れを堰《せ》きとめて断ち切ってしまう。チンケなオチなら、ないほうがいい。当然です。エンタだって余韻で読ませる技術があっていい。

私は純とエンタ、どちらが高等であるかなどという陳腐な問いかけをしているのではありません。コウモリから見た双方、じつに見苦しい。

もちろんそんな矮小なところから超越して己を貫いている作家がどちらのジャンルでも存在します。貴方はどちらに属しているにせよ、実力が追いつかなくても気位を高く持ちましょう。けれど文学と反り返る阿呆（外面は慇懃《いんぎん》にして、内面では周囲を見下している小物のことです）にだけはならないでほしい。

同じく不要かつ不細工な文学コンプレックスだけは持ってほしくない。貴方は平熱のまま、貴方の仕事をする。

おっと、比喩。今回で終わりにします。もうひとつテキストを――。

じつは以前から比喩についてを書くときには〈つげ義春《よしはる》日記〉を使おうと考えていました。ただ昭和五十年代に刊行された本であり、これを入手しろというのも無理があると控えてきました。

ところが講談社文芸文庫にあった。貴方は比喩の最終的な勉強のために必ず〈つげ義春日記〉を手に入れてください。

よほど頭が悪く感受性の鈍い人でないかぎり、日記文学の名篇とされるこの作品をしばらく読み進めれば、ある特徴に気付くはずです。その特徴とはなにか。

比喩が、ない。

〈つげ義春日記〉には、比喩がない。

ごく稀《まれ》に『胃の中にとがった物を呑みこんでいるようで』といった比喩があらわれはしますが、つげ自身は比喩を遣っている意識がない。率直な気鬱の吐露なのです。

すばらしい比喩で読み手の情動を刺激し、鮮やかな絵を見せようと頑張る小説家を嘲笑《あざわら》うかのように、つげ義春は比喩のない文章で妻の癌、思うようにならない育児、自身の精神、および体調の不良――それらから発する将来への不安といった負の感情を、読み手にじわじわと伝える。つげ義春の身悶《みもだ》えが貴方を侵蝕する。

新刊がどんどん出て増刷が重なり預金が一千万を超えたということ、あるいは編集者や友人の好き嫌いまで率直に書き記しつつ、比喩なしで、凡百の小説など及ばぬ情動を読み手にまで伝える。

〈つげ義春日記〉を読めば、じつは、文章表現は比喩を遣わなくても成り立つということを実感できるでしょう。

おそらくこれは私小説的な作品だからできることだ、などと小賢しいことを吐かす人もいるでしょう。私が言っているのは、技巧的なことです。中学生は去れ。

私は〈つげ義春日記〉におけるつげ義春の文章技術について語っているのです。貴方は感覚だけで処理せず、その技術についてきっちり分析しなさい。

私たちはつげ義春とちがって小説家ですから、比喩等々でそれなりの芸を見せなければなりません。

けれど、極論すれば比喩なしでも文芸は成立するということをきつく心に留めおいてください。

比喩に、逃げない。重要な心構えです。

第22講 辞書を引く

いきなりクイズです。手抜きして拙著〈日蝕《ひは》えつきる〉のあとがきの参考文献から引っ張ってきました。江戸言葉です。

『はて気のせまい大事ないき』——これを現代語に訳してください。解答は最後ですが、江戸語辞典を引かずに自身でしっかり考え抜いてください。

エロ小説。いい響きですね。じつは、比喩がもっとも生きるといいますか、重要な地位を占めているのはエロ小説なのです。

わかりきったことを書くのも気が引けますが、局部の医学的正式名称を羅列して精確を期して性を描けば、解剖図を見ているのと大差ない味気なさです。

いまの時代、べつに猥褻《わいせつ》罪を恐れて作家は比喩を用いているのではない。貴方も、ちゃんとエロ小説を読み込んで勉強してみてください。陳腐から高尚まで、徹底した工夫とレトリックの宝庫です。

（意図的な）陳腐こそが表現として生きるという逆転さえ散見できることもあり、じつに勉強になります。

もちろんエロ小説もピンキリですが読まずにすますのはあまりにも惜しい。せいぜい劣情を刺激されて、比喩やレトリックの効用を叩き込んでください。

レトリックという言葉から、父の蔵書の黒岩涙香《くろいわるいこう》〈雄弁美辞法〉が泛びました。父は明治の男でしたから小学二年の私に涙香の〈巌窟《がんくつ》王〉を読ませ、次にデュマの〈モンテ・クリスト伯〉を読ませたのです。もちろん意図的に、です。大筋はともかくあまりの内容の隔たりと長さのちがいに途方に暮れました。

話が逸れてしまいました。

レトリックに関しては『松のことは松に習へ　竹のことは竹に習へ』という芭蕉の言葉に尽きます。

あえて説明はしませんが、額面どおり解釈する愚だけは犯さぬように。芭蕉の言葉をレトリックに結びつけて徹底的に考え抜いてください。

もっともレトリックはひとつ間違えれば、単なる巧言に堕落する。レトリック自体が巧みに飾った言葉にすぎない。巧言とレトリックは同類です。巧言を弄する――といえば、心にもない口先だけということですし。

レトリックについて、もうひとつ付け加えるならば『センスのない者は、論理でしか語れない』ということも挙げておかなければなりませんね。

センスのない者は『頭が悪い』に置き換えてもいいのですが、案外、私自身にグサリと刺さる言葉で、苦笑しかありません。

さて、貴方は文章を書くのにどんな辞書を使っていますか。執筆に必要というだけでなく、辞書道楽とでもいいますか、あれこれ辞典を集めはじめると泥沼にはまります。けれど、これは趣味のあるべき姿。他人がとやかく言うことではありません。↑自己弁護。

私は職業作家として小説を書きはじめて七年ほど、中学生時代に母が買ってくれた〈新選国語辞典〉という中学生向けの辞書を用いて執筆していました。

もちろん恰好をつけるために〈広辞苑〉等も買い込みましたが、あえて中学生向けの国語辞典で執筆を続けました。

なぜかといえば、それで足りてしまうからです。娯楽小説で稼ごうと考えていましたから、この辞典に載っていない言葉は遣わないように意識した、ということです。

さる新人賞最終候補作に『瞋恚』という言葉がでてきて、呆れました。

強い瞋恚と畏れを――といった用い方でしたが、なんと中高生が登場する学園ミステリーだった。

貴方には瞋恚がなにを意味しているか、わかりますか？　すっと読めますか？　書けますか？　そもそも中学生、高校生が瞋恚という言葉を遣いますか？

遠い記憶を手繰ると、尾崎紅葉の〈金色夜叉《こんじきやしゃ》〉に瞋恚という言葉が遣われていたような気がします。

尾崎紅葉は慶応《けいおう》三年に生まれ、明治三十六年に亡くなった小説家です。この学園小説の作者は、この明治時代の小説家に娙していたのでしょう。

冗談はともかく、私は仏教語の辞典を読み耽るような変態ですから瞋恚の意味もわかりますが、平成生まれの一般読者のことを考えればあまりに不親切といいますか、作者だけが難解な言葉を用いて気持ちよくなっている?-典型でした。

瞋恚、読みは『しんい』、仏教用語で十悪のうちの一つで怒り・憎しみ・怨み＝憎悪をあらわします。

中学生が主人公であれこれ推理するノベルス的作品（ノベルスに対する偏見がないことは、〈Cobalt〉で連載していたことからも理解してもらえると思います）に瞋恚はあんまりです。

強い怒りと恐れを――と書けばすむ段落でしたし、この方は他にも不必要な難解な言葉をあちこちにちりばめて、肝心のトリックに関しては……沈黙。

じつは、新人賞応募作品によくある勘違いなのですが、小説的、文学的表現があると思い込んでいる人がいる。

あるいはなんらかの劣等感によって不必要に小難しい単語を用いてしまう。

小説的、文学的表現なんて存在しません。小説に対する幻想、いや妄想のなかでも最も見苦しいのが、こういった劣等感がらみのハッタリです。

もちろん、あえて難解な非日常的な言葉で小説をつくりあげるという意思のもと、創作に励むことをどうこう言うつもりはありません。

けれど娯楽小説の新人賞に瞋恚はまずい。

いいですか。私はプロの小説家としてデビュー以来十年ほどは、中学生用国語辞典で執筆を続けてきて、いまとは比較にならない収入を得ていたのです。

もちろん、それは割り切りの産物です。私は小説家を職業として選んだので、きっちり稼がないことには話になりませんから、中学生のころに使っていた辞典を大切にしたのです。

いま現在愛用しているのは、三省堂の〈デイリーコンサイス国語辞典〉です。横書きの掌《てのひら》に収まる極小判型、勘所を押さえた編集が素敵です。対象も高校生から一般と、中学生からランクアップです。

けれど老眼が進んできて、さすがにこの小さな活字はつらくなってきた。どうすべきか、思案中です。

蛇足ですが、京都弁をそれらしく正確に書きたいならば古本でしか入手できませんが、堀井《ほりい》令以知《れいいち》・井之口有一《いのくちゆういち》共編〈分類京都語辞典〉を入手してみてください。

検索してみたら、Amazonで九百五十円という値が付いていました。この本が出るころには売れてしまっているかもしれませんが。

たまたま執筆している作品のために手許にあり、重宝していたので、ついよけいなことを書いてしまいました。

まとめます。私は辞典をたくさんもっています。けれどこれは趣味です。実際に執筆に遣うのはごく当たり前の国語辞典、および漢和辞典（〈五十音引き 講談社漢和辞典〉を愛用しています）のみです。それだけで書くことこそが、重要です。

もちろん辞典を冒頭から読むような変質者ですからたくさんの言葉を知っています。時折、それがポロリとこぼれ落ちることもある。私の精神の中で咀嚼《そしゃく》されているので、よしとしています。

値は張りますが、百科事典も必須です。三つほど所有していますが、平凡社の〈世界大百科事典〉は別格です。この〈たった独りのための小説教室〉執筆にも常時、用いています。

執筆が軌道に乗って原稿料なり印税が入ったときは、真っ先に購入してください。ネットで調べればいいというケチくさい了見および合理精神は、じつは小説執筆にはふさわしくない。

ウィキペディアはすばらしい。ただし、アウトラインを調べるときにだけ使ってください。というのもプロの校閲が入らないことの脆弱《ぜいじゃく》さが看過できないからです。

具体的には年代の間違い、人名などの誤変換――そのままコピーなどして執筆に用いると大《おお》火傷《やけど》します。

画像なども、微妙です。花の色、蛇の体色等々ウィキの画像の色彩が正しいものであっても、貴方のパソコンのディスプレイの色彩設定で、まったく別の色に変わってしまっている可能性があるからです。

ネットの画像の色彩を真に受けて書くと、微妙にずれたものになってしまいます。百科事典ならば製版フィルムの段階から色校正が入っていますから、信頼性がちがいます。

もっとも吝嗇《けち》な人には、なにを言っても無駄なのもよくわかっています。安直な姿勢が新人賞受賞に至らない理由である、ということに気付かないのでしょう。

ま、お好きにどうぞ――と言いながらも、念押ししますが、寄り道ときに渋滞なおかつ無駄遣いといった非効率こそが小説に限らず創作の要なのです。

ずいぶん以前のことですが、校閲からの指摘に『ウィキによると――』とあって、さすがに呆れ果てました。

どこの出版社かはあえて伏せますが、コストダウンのために校閲を外注するようになって、やはりずいぶんレベルダウンしている。社内校閲＝校閲専門の社員が校閲をしている出版社は、その精度が桁違いです。もちろん外注の校閲者すべてが低レベルというわけでもないでしょうが。

まだ貴方が新人賞に応募している段階ならば、校閲者というエキスパートの関与は有り得ないわけですから、どうか手を抜かず、徹底的に細部に拘《こだわ》り、調べ抜いて執筆してください。こんなもんだろう〜という見切りは絶対に通用しません。

なかでも時代小説。選考委員は、尋常でない知識の持ち主ばかりです。とりわけ正統な時代小説ですね。いい加減な仕事は即座に見抜かれ、弾かれます。

だいたい時代小説ほど金のかかるジャンルはありません。私は購入しただけでまったく使っていませんが（大雑把すぎて役に立たないのです）、最低限〈国史大辞典〉全十五巻十七冊を揃えて、アウトラインを当たるところから執筆を始めましょう。

私事ですが、馴染みの古本屋にあれこれ探してもらって勢いで購入ということを繰り返したあげく、ふと気付いたら原稿料も印税もペイしていないということに気付きました。

しかも入手した高価な古書にかぎって、じつは実作にはほとんど使えない！ という為体《ていたらく》、さすがに最近は辞書を集めるのと同様、コレクター的な蒐集《しゅうしゅう》は控えるようになりました。

たとえば江戸時代の言葉を自作にうまく活かしたいと考えて真っ先に泛ぶのが〈浮世風呂〉です。

〈浮世風呂〉は江戸時代の科白を描くために必須ですから、時代小説を書く人は必ず手に入れるようにしてください。

また講談社学術文庫、前田勇《まえだいさむ》編〈江戸語の辞典〉も外せません。

私はさらに生の言葉が知りたくて、無数の春画を漁《あさ》りました。

春画の詞書《ことばがき》や書入《かきいれ》は生きいきとした江戸語の宝庫なのです。詞書や書入を調べ、言葉を蒐集して驚くのは、現代に使われている言葉とは、まったく違うということです。

冒頭の江戸言葉『はて気のせまい大事ないき』――翻訳できましたか。

『なんと臆病な、心配するな』が答えです。

けれど一般の読者に登場人物の科白として『はて気のせまい大事ないき』と提示して、すっと理解できる人がどれだけいるか。

つまり時代小説は逆に原理主義が通用しないのです。『なんと臆病な、心配するな』と書かずに『はて気のせまい大事ないき』と書くわけにはいかない。

といって現代風の科白回しもそぐわない。さあ、大変だ！

第23講

地図を描く

前講の補遺です。

はじめにあったのは音声言語で、それを下敷きにして文字言語が成立したわけですが、放てば消滅してしまう音声言語ではなく、記録として残る文字言語がより多く思考の発達に寄与するのは当然のことです。

現実はともかくとして、文字を扱う小説家という職業が、なんとなく悧巧《りこう》そうに見える理由?の一端がここにあります。

けれど、文字言語は保守的ですね。定型が確立すると、なかなか変化しない。

一方で音声言語は流行語まで含めて、日常の中で揉まれて時とともに融通無碍《ゆうずうむげ》に変化していく。

前講の江戸語など、現代では正反対の意味になってしまっている言葉もありますが、それは自身で見つけてみてください。

譬えるならば、文字言語はクラシック音楽じみているけれど、音声言語はポピュラーミュージックだ。

守旧の色合いが強い文字言語と自在に変貌していく音声言語の乖離《かいり》がある限度を超えると、文字言語のほうが音声言語に歩み寄る。

これは当然のことです。音声言語が先行していること、音声も文字も伝達に奉仕するということ、その結果、文字による文章的定型が時代にそぐわなくなってくれば変貌せざるをえないのです。

頭の固い識者は、これを日本語の乱れなどとおっしゃる。

言語を用いて収入を得る小説家の心構えとしては、自身の文体にかかわる文字言語において、音声言語にどの程度添うべきか、それを冷徹に見極める必要があります。

徳間書店の〈読楽〉で連載していた〈夜半獣〉という作品は、思い切り音声言語に寄った実験的な作品です。

私は娯楽小説でもいろいろ遊び、あれこれ試しているのです。貴方も執筆が軌道に乗ったら、好き放題してかまいません。

ただし娯楽小説に身を置いているならば、好き放題という単純な遣り口は、純よりもさらに高度な意匠をまとわねばなりません。

じつは娯楽のほうが、芸術よりもずっと難しい側面がある。純＝（ある面）バカ。あながち的外れな定義ではありません。純粋なんて蒸留すればすぐできる。

ですから、とりあえず間断なく原稿の依頼がくるようになるまでは、多少は自分を殺してでも周囲に貴方という作家を認知させることが大切です。

おっと自分を殺すというのも大仰ですね。貴方に確たる核があれば、上っ面は周囲に合わせて踊ろうが、芯はなんらぶれることがない。

自分がほんとうに描きたい題材はあとにとっておいて（社会的に認知されてから充分というか、そのほうがよりよく広く深く伝わると思いませんか）、とりあえず編集者と相談して世の中に受け容れられやすいものを書く算段は必要です。

だからといって迎合丸出しは即座に見破られ、見切られる。

すべては、バランスです。

書く内容は過激でもかまいませんが、その本体本質は、中庸であることが重要です。

その中庸も、アリストテレス的なものではなく、儒教的な中庸を意識してください。

私は儒教が大嫌いです。天才性の欠片も見られぬ孔子的なるものには正直、反吐《へど》がでる。けれど唯一、中庸には頭をさげざるをえません。

衆から独り抽んでた貴方のための小説教室だからこそ、いままでは虚構等々抽象が多かった。前講の辞書は多少具体的でしたね。同様に、これからは執筆における実践的なことも記していきましょう。

まずは地図をつくることから始めます。附随して年表づくりも教えましょう。

貴方は執筆前に、ちゃんと地図をつくっていますか。

筋書きを拵えることに夢中になって、地図という概念さえ持たずに執筆していたとしたら、目も当てられません。

そうでなくとも地図をつくることがおろそかになっていませんか。

地図？　と小首をかしげた貴方は、とりあえず紙と鉛筆で、貴方の作品の舞台となる土地の地図をつくってみましょう。

スタイルは貴方にまかせますが、必要なのは覚え書きのようなものではなく徹底的に詳細な地図です。

〈ゲルマニウムの夜〉という作品の担当編集者が、私に一枚の地図を提示しました。作中の描写から、舞台である農場の全体図をつくりあげてきたのです。

『花村さんの描写は、完璧で、正確だ』と彼は感に堪えない表情で言いました。

でも、これは当然のことなのです。私はデビュー作〈ゴッド・ブレイス物語〉の時点から脳内に舞台となる土地のきっちりした地図をつくりあげてから、執筆してきたのです。

私としては、私の描写から精緻な地図を組みなおした編集者を讃《たた》えたい思いでした。

なぜならば彼は脳裏で文字言語による描写から誰にだって泛ぶ曖昧な印象ではなく、地図＝正確な映像を組み立てる能力がある。

小説家の能力がピンキリであるように、編集者の能力もピンキリであるよい例ですが、私たち小説家は虚構に遺漏がないよう、せいぜい精緻な地図をつくりましょう。

加えて文芸に携わる編集者も無能の謗《そし》りを免れたければ、届いた原稿を一読して距離や方角、時間軸などを脳裏で再構築し、ささっと地図を描いてみましょう。

地図がまともに成立しない小説は読後、往々にしてなにやら焦点が合わないようなモヤモヤが残るものです。

私はデビュー当時、紙に鉛筆で地図を描いていたこともありましたが、もともと頭の中に精緻な絵を描くことが得意なので、脳内地図ですますようになり、すぐに実際に地図を描くことはなくなりました。

けれど脳内の地図は精緻な地形、東西南北から等高線、場合によっては緯度まで完璧な地図をもって執筆しています。

地図は現実に供するものではありませんから、独自の単位を用います。私はメートルではなく主人公の歩幅を距離単位に用いています。

身長×〇・四五という歩幅の目安を知っていれば、たとえば主人公が小柄な女性ならば自ずと彼女の距離感が地図上に投影され、そこを歩く彼女の疲労感などが執筆上、リアルに立ち顕《あらわ》れます。

手取り足取りは見苦しいので、もうやめます。貴方は自分の地図のための距離単位や法則を手抜きなく精緻につくりあげてください。

前出の〈夜半獣〉ですが、音声言語に接近する試みだけでなく、とにかく地図にこだわった。下槇《しもまき》ノ《の》原《はら》から上槇《かみ》ノ原に至る道は勾配や植生など、もう見事なものです。脳内地図ですから運行休止になったバス停の位置や様子、荒れ果てた舗装や路肩の状態、上るに従って見えてくるボーキサイト鉱山（日本にボーキサイト鉱は存在しませんが）のある山々の姿、そして盆地状の上槇ノ原集落等々、一切揺るぎなしです。

これらはただの漠然とした脳内映像ではなく、私独自の法則性によってつくりあげられた完璧な地図なのです。

出入り自由にして閉鎖環境という上槙ノ原集落内の地図も、じつにうまくつくりあげることができた。

私には御宿《おんやど》蘗埜＝ハギノ旅館から出て上槙ノ原の中心にある通りを身長一七〇センチの主人公が歩幅七六センチで三〇〇歩ほど行って上槙ノ原唯一の食堂、焼き肉・おめんの暖簾《のれん》をくぐり、その先の十字路を右に折れれば広大な、けれど未舗装の駐車場の柳庄《やなしよう》ホームセンター、直進すれば町役場の出張所、そこから七〇歩ほどで駐在所、ボーキサイトの鉱山にあがる道は駐在所から直進、歩数にして一六〇〇歩ほど、農機具や刃物を研ぐのを生業《なりわい》としているいまだに茅葺《かやぶ》きの山岸老人宅の先を右折して、急勾配で滑り止めにコンクリ舗装に横溝が切ってある屈曲路、植生は主に戦前、そして戦後に植林された杉木立、その昔はダンプも通ったので、きついカーブは上り方向からすれば右回りの一ヶ所だけ——。

もう、やめておきましょう。作中には、こういった事柄はほとんど出てこないのです。正確には取捨選択がなされている。実際には、ほとんど書いていない、というのが正しいところです。私の頭の中に確固たる地図があるので、いちいち書く必要がない。

さて地図をつくる効用がピンとこない貴方は、問題ありです。まだ虚構のことがよくわかっていない。

幼いころを思いかえしてください。小説世界で人物を動かすのではなく、自分でつくったジオラマで小さな人形を動かして遊んでいるところを想像してください。

どうです？　幼い貴方は筋書き以前に、おしゃま（死語）で陰があるけれども快活に振る舞う少女の人形にメインストリートを散策させ、なんとなくジオラマ内で一番大きな建物である教会に向かわせて、忍びこませます。

教会内ではなんと！　じつに底意地の悪い赤い目をした悪魔の人形が待っていた（もちろんジオラマ内は精緻な虚構世界。少女も悪魔も小さな人形にして生命です）。

ここが、物語の分岐点です。少女は悪魔と仲良くなるか。悪魔に取り憑《つ》かれるか。悪魔を手下にするか。悪魔を消滅させようとするか。

選択するのは作者の貴方自身で、無数の筋書きが派生し、物語は自在に拡がっていきます。

お人形さんごっこには、虚構の、小説の原点があるのです。

貴方はお人形さんの家、台所とかリビングなど、あれこれ（親には）見えない空間と事物を拵えていたのではないですか。

私は木切れを拾ってきて釘を打ちつけて砲塔にし、流しに溜めた水の上で戦艦対巡洋艦、ときどき飛行機も参戦といった『ごっこ』をしていましたが、裏返したアルマイトの鍋底を陸地に見立てたりして、脳裏には意外に精緻な地図や海図をつくりあげていました。

肌合いが合わずたいして読んでいないのですが、スティーブン・キングの作品は、あきらかに精緻な地図から発想されています。

キングは地図ありきの典型的な作家なのです。一つの町の精巧な地図をつくりあげ、そこに人物を配置していき、彼ら彼女らに生の苦悩と同時に自由に振る舞うことを許す。ただし、彼ら彼女らは、常にその人生を邪魔する存在と向きあわされる。その存在がおおむね非現実というところが重要です。

これによってキングは物語を御都合主義的に、自在に飛翔させて読者に後ろ指をさされないという小説作法を手に入れたのです。

キングの作品はたくさん映画化されています。なぜかは、もうわかっていますよね。地図がしっかりしている作品は、小説家にとって物語がつくりやすいだけでなく、映像化にもってこいなのです。

第24講

自分だけの年表をつくる

年表作成は地図づくりほど難しくない。というのも基本となる年表作成は、ごく事務的な作業だからです。

当然ながら時代小説を書く上で年表を作成することは必然ですが、現代ではなく現在を描く小説には不要でもあります。

その一方で、まさか、貴方は時代小説を書くのに書籍の年表などを単純に参照するという愚を犯していませんか。

こういう機械的な作業は小説に硬直をもたらします。自分自身の創作のために、自分自身の年表をつくりあげましょう。

登場人物から発想するか、時代から発想するかの違いがありますが、織田信長を描く作品を執筆するとします。

信長は一五三四年に生まれ、一五八二年に没しています。この間のみの年表をつくるだけというのは手抜きですが、戦国時代だからといって、なにも応仁《おうにん》の乱から始まる年表をつくる必要はありません。

信長の生きた時代の前後どれくらいまでを年表に仕立てあげるかは、貴方自身が判断すればいい。

もっとも私は効率を考えて、時代小説を書くと決めた時点でもっとも興味を惹かれていた室町時代（南北朝合一から、十五代将軍義昭《よしあき》が信長に逐われるまでの百八十年ほど）の詳細な年表をつくりあげてしまいました。

つまり実際に時代小説を書く前に、着々と準備を重ねたということです。

ですから〈信長私記〉を執筆したときは、基本となる室町時代年表から作品に必要な期間を選択してコピーし、信長を描くのに必要な信長のための〈信長私記〉年表を拵えました。

こうした作業にパソコンという文房具は、じつに具合がいい。

最初につくった室町時代年表は、底本として史実や残存している資料以外は厳密に排除しました。よけいな色づけは一切しないように心がけたのです。

けれど〈信長私記〉年表は創作上のアイデア、虚構を、自身が決めた法則に従って色分けや文字強調して遠慮なく挿入し、ワンクリックでそこに飛べるように設定します。

改めて資料を参照し、史実として怪しい事柄も、委細構わず組み込んでいきます。つまり〈信長私記〉という虚構を成立させるための虚構の年表をつくりあげてしまうのです（ちなみに私は年表をWZエディタのバージョン6でつくりあげています。小説執筆自体もバージョン6の縦書きで、もっと新しいバージョンも幾つか所有してはいるのですが、執筆にはこれが一番手に馴染み、使いやすいので二〇〇八年以来、バージョン6一筋です。貴方も自身の筆記用具として最適なエディタを見つけだしてください)。

あえて断言してしまいますが、虚構の年表作成を貫徹してしまえば、もう筋書きはできてしまったも同然です。時代小説につきものの錯誤も起きづらい。

あとは文芸上の技巧に意を砕けばよい(これが小説家にとってじつに愉しいことなのです)。連載締め切りに追われて、左の目で資料を見て、右の目で執筆するといった状況に追い込まれると、流れ作業をこなしているのに似て、じつに退屈でたちの悪い倦怠感を覚えることとなります。

そうならないために、つまり作者の知的快楽に奉仕するために年表はある、というのは言いすぎでしょうか。

もちろん作品の完成度を高めるためであるのは言うまでもありません。年表の効用について、私の年表から一節を引いて述べておきましょう。

＊1536. 05. 04 = 天文《てんぶん》5. 04. 14　奥州《おうしゆう》陸奥国《むつのくに》守護、伊達《だて》稙宗《たねむね》(左京大夫《さきようのだいぶ》)、塵芥集《じんかいしゆう》制定(御成敗式目に倣った171条の伊達氏家法)↑伊達氏天文の乱

本来は横書きなので見づらいかもしれませんが、基となる室町時代年表の記述です。資料から引用し、調べたことを要領よく付け加えてあるだけですが、つらつらと年表に目を通しているうちに、そもそも塵芥集ってなんだ? という疑問が湧きました。塵芥集の成立は信長誕生

メラメラ
…
一五八二年…自害っと
カタカタ

から約二年後のことです。

そこで資料を取り寄せ、熟読したところ、里と山の境界は路次より三里で、山と俗界は山神の祠《ほこら》で境界が定められているということがわかった。

そこからさらに資料を当たっていくうちに山落《やまおとし》なる存在に至った。山落は後に山賊と同一視されるのですが、山という俗世間とは次元を異にする、つまり権力外の存在であることがわかってきました。

あとは肉付けして『山落とは古《いにしえ》の鍛冶部《かぬちべ》の末裔《まつえい》（中略）実際に山中奥深く金打《かねうち》、すなわち鍛冶《かじ》や鋳物師《いもじ》の仕事（中略）。鍛冶部、正しくは韓鍛冶部《からのかぬちべ》とのことで、山に籠もったのはおそらく百済《くだら》から渡ってきたこともあり、里の者たちとは微妙に相容れぬものがあったのだろう』と、その存在を膨らませ、織田信長が所有していた抽《ぬき》んでて大量の鉄砲の出処はおろか、木下《きのした》藤吉郎《とうきちろう》の出身は山落であり、朝鮮出兵の強引さは山落として山に封じ込められた韓鍛冶部という出自からくるある種の近親憎悪からきているといったあたりまで筋書きが連動していったのです。

当然、基となる室町時代年表には〈信長私記〉に奉仕するための虚構であるこれらが書き込まれ、それは後の〈太閤私記〉にまで引き継がれていきました。

ここまで書けば、最初の基底となる年表づくりこそ手間がかかりますが、それさえつくりあげてしまえば、あとは創作に大いに寄与してくれることがわかるでしょう。

ただし――たとえば昭和の時代の年表をつくるといったことは、よほどの覚悟がいります。

それというのも現代に近くなればなるほど項目の数が莫大なものになるからです。よくいえば大量の記録が残っている。これが曲者《くせもの》です。情報量が多ければいいというものではないのです。

〈ワルツ〉という昭和二十年の終戦から始まる大河小説を書いたときは、その膨大な出来事に呆然とし、割り切って私の目に付いた事柄だけで年表をつくりあげました。

たとえば上野のアメ横に進駐軍＝米軍の物資梱包に転用された戦時中のリーバイスのジーパン、臀《しり》ポケットのステッチが糸の不足から黄色いペイントで描かれたもの（物資が逼迫していたにもかかわらず、逆説的に臀ポケットのステッチをあえてペンキでプリントしたということに、日本とのあからさまな差異を感じさせるエピソードです）が、放出品として大量に出回ったといった地べたを這いずりまわるかのような事柄で埋め尽くしていきました（アメ横五十年史による）。

新円切替および預金封鎖などの重要事項は否応なしに諸々の要約された資料にありますから、あえて自作年表には最低限のことしか記入しませんでした。

これらは地図と同様、すべて貴方の判断と才覚にまかせられます。なにも私の言うとおりにすることはない、ということです。

すべては自己決定が個人営業の肝であり、それは小説家という職業もなんら変わりません。ただ、地図も年表も執筆の足許を固めるということにおいて、じつに力強い基礎となります。だから地図や年表を採用するならば、どうか、おろそかにしないように。

なかば飽いているにもかかわらず、ネットであちこち覗いてフェイクだらけの情報にまみれて時間を浪費してしまうくらいならば、新たな作品を書く前にはネット断ちして、じっくり自作の地図と年表づくりに集中してください。もちろん当然ながら、小説自体の執筆も然りです。エゴサーチをきつく戒めましたが、それだけではありません。私もパソコンがネットにつなぎ放題になった一時期、あれこれ検索をかけてあれこれ覗いて時間潰しをしていたことがありました。

けれど、それはすぐに惰性と化し、しかも安っぽい中毒性までもっているのだから始末に負えず、精神の空洞化だけでなく、愚にもつかない情報を凝視することによって引きおこされる眼精疲労をはじめ、なんら自分に益することがないと気付きました。

皆が情報とやらに婬していているならば、私は情報を遮断すると決めました。

逆張りというわけでもありませんが、それでなんら問題なく執筆しています。もちろん私は原理主義ではないので愉しみに覗くサイトもあります。

ほぼ毎日覗くのは、〈ロケットニュース24〉です。ジャンクな食い物が好きなのと、内容よりも記者の感情の背後までもが透けて見えるのが好ましい。

いまの私はフェイスブックもツイッターも退会してしまい、SNSの中では誰にでも無差別に発信するのではなく閉じている（閉じることができる）mixiのみを使っています。

いまどきmixiですか？　と、どこか小バカにした気配の揶揄を受けることもありますが、そういう人にかぎって自身がネット中毒症状に冒されていることに気付いていないようです。

編集者との遣り取りには、どうでもよい外野から覗かれずにすむmixiがいちばん巧く機能するのです。担当編集者はmixiの私の日記から原稿の進捗具合を把握できるので、編集者の精神安定にも一役買っているというわけです。

新人作家と会話していると、起き出したらまずパソコンを立ちあげてネットサーフィンするという中毒者がけっこういるのに驚かされます。

私はパソコンを立ちあげれば即座に執筆が始まります。ネットのことなど念頭にありません。そろそろ起きようかなとうつらうつらしながら、これから書くべき原稿の内容を半覚醒夢のようにわりと具体的な映像として目の当たりにしているので、いまはベッドで執筆していることもあり、目覚めたら即執筆という、小説家としてはじつに合理的な状態を維持しているのです。

第25講　リズムについて1

執筆するときの重要な心構えです。そろそろ貴方は自身の才能を自覚できたころだと信じています。

それならば本能で書いてしまいましょう。かまいません。躊躇いがあると、勢いも律動もない、冴えない文章になってしまいますから。

ただし、あえて悖反《はいはん》することを書きます。一つの段落を書きあげたら、常に脳裏でその段落を収束させるにはどうしたらよいか、作品の総体＝全体に対して素早く考えを巡らせる。

結末が決まっていなかったとしても、この段落が作品の総てにどう関わっていくか、直観的に全体をイメージする。

本能の勢いはそのままに、最初は常に意識しましょう。素質がある貴方は、やがて意識せずにそれをこなせるようになります。

いま第一線で活躍している作家は、当然ながらこれを無意識のうちに完璧に行っています。筋書きなどに囚われて一杯一杯の初心者には信じ難いことかもしれませんが、すべての段落が有機的につながって先々で収束していき、回収されることを期するのです。自分が書いた虚構に責任を持つのです。

自分のついた嘘の細部を忘れてしまうようでは、当然ながら読者をだます詐欺師にはなれませんよね。

嘘の巧い下手も才能であり、じつは本能的なものに近い知能と感受性＝センスが大きく関与していることは、貴方も薄々感づいているでしょう。

小説は単語から文節をつくりあげ、その集合によって成立した『段落』の無限の積み重ねで成立します。許多《あまた》の単語、文節、段落が集合して一つの作品となる。

単語や文節の過程はともかく、段落には否応なしに、その段落の『主題』が立ち顕れます。

小説とは『無数の段落が内包している主題の集合体』です。

すべての段落に緊密な統一がなければ、それは破綻した駄作となる。筋書き以前の話です。

すばらしい筋書きや着想を得たとしても表現できなければ、単なるニューロンの電気信号にすぎないのです。言い方を変えれば、他人には伝わらない。

筋書きや着想、つまりヴィジョンを得たなら、貴方は、それを言語化しなければならない。

ここに言語表現の難しさがある。

すべての段落がきっちり有機的につながっていることが理想です。

これが小説という散文の最重要点です。プロとアマの差がもっとも如実にあらわれる部分でもあります。

詩歌などの韻文のように律動の美しさから醸しだされる情感を最優先して、場合によっては論理的構文を排除することに意を砕くのと正反対の、まさに論理が支配する虚構を構築するのが小説家の仕事です。

だからこそ初めは勢いで、本能で書いてかまいません。

そして、その段落をどのように回収するかを脳内で並行思考というか、並列して、直観に近い意識の働きで、言語の包含する律動と論理、相反する要素を統合する。

律動は勢いをもたらし、論理を破壊しかねません。が、これは才能のある人だけの悩みです。ほとんどの人は文章における律動の持ち合わせがない。

もはや私は、貴方を初心者扱いしていません。もし意味が摑めず途方に暮れてしまったとしたら、小説家という職業を断念したほうがいいかもしれない。

繰り返しになりますが小説原稿で金銭を得ている職業小説家は、じつは皆この複雑な並行処理を脳内でこなしているのです。

さらに難しいことがあります。論理が支配する虚構を構築するのが小説家の仕事と書きましたが、論理だけで書けば絶望的なものに成りさがります。

破綻がないだけの抜け殻に魅力を感じる人は、いない。

論文にも巧い下手がありますが、評価されるのは文章ではありません。ところが小説は文章そのものが評価の対象だ。文章の下手な小説家。有り得ません。あくまでも『文芸』なのです。

本能で書いて、勢いと律動を大切にしなさい。

でも段落が有機的につながっていく論理を絶対に忘れない。

感受性的能力と知的能力を統合して同時に発揮しなければ、小説という散文表現は成り立ちません。


論理を貶めるつもりはありませんが、そのあたりは義務教育をはじめ、充分に鍛えられているはずです。

理屈が得意な人は文筆家に向いています。すくなくとも破綻とは無縁な文章が書けますから。

そもそも理屈なんて誰だってある程度は身についているものです。

個々人の論理にあらわれる差異は、細かいか大雑把かです。

もちろん大雑把な理屈しか捏《こ》ねられない人は退場です。

細かい論理の積み重ねができて、しかもその論理を腕力を用いて読み手に納得させてしまう力があることが理想です。

腕力——。

ケンカなんですよ。読者とのケンカなんです。

いままで貴方の作品を読んだことのない読者は、貴方を侮っています。新人賞作家の作品なんて、ろくなもんじゃねえ——そんな意地の悪い読者ばかりではないにせよ、定評あるベテラン熟練作家と同列に貴方が見られていると思いますか？　はじめから粗探しをしてくるような読者を捩《ね》じ伏せるには、圧倒的な腕力しかありません。

論理的な積み重ねに加えて腕力で読者を屈服させる。

こんなのでいかがです？　と揉み手で迫れば、間違いなく見透かされます。傾向と対策を練って迎合すれば、嘲笑が待っている。

腕力の意味を直観的に摑めない人は、残念ながら適性がありません。

ピンときた人は、大丈夫。書いて書いて書きまくって、太くて柔軟で図抜けた速度をもつ筋肉をつけてください。

さて、本能の本題に入ります。

じつに読みやすい小説やエッセイがある。なんとなく活字に視線を落としたとたんに惹きこまれている。内容は問いません。読んでいるさなか、読み手には昂ぶりがあり、陶酔がある。頁を繰るのがじつに快感だ。

ところが――読み終えたら、なにも残っていない。あるいは、たいしたことは書かれていなかった。でも気分はいい。ある感服の気配さえ抱いている。

こんな経験が貴方にもあるでしょう。どうでもいいことが書かれているにもかかわらず、ノリノリ（死語）で読み耽ってしまう。

これが、まさに文芸の力です。貴方は乗せられてしまったのです。

こういった文章が書ける作家は、大成します。秘密は、なんでしょう。

筋書きではないですね。なにしろたいしたことは書かれていないのですから。新奇なものは、なにもない。とりわけ着想が斬新なわけでもない。つまり貴方が読んだのは、ただの文章なのです。

さあ、本能的に書いてみましょう。脳を感情と知性に分裂させましょう。勢いが大切です。筋書きだのなんだのは棄て去ってかまいません。指の勢いでかまいません。体裁をかまわず一気に本能的に書きあげてください。結果、わかるのは貴方のリズム感です。

冒頭、勢いと律動と書きました。律動のある文章は、文章それ自体が読み手に快感をもたらすのです。

そっと胸に手を当ててみてください。鼓動を感じとるのです。呼吸に意識を集中するのです。人間は律動＝リズムに支配されている。スリリングな場面を読めば、貴方の鼓動や呼吸は速まるでしょう。

ここまで書けば、もうわかったでしょう。よい文章は、精神だけでなく肉体にも作用するのです。

名文家と呼ばれる作家の文章を徹底的に吟味してください。

遣っている単語、句読点、改行、段落の醸しだす絵柄、すべては文章のリズムに奉仕していることを摑み取ってください。

日常のごく他愛のないことを描いても、作者に確たるリズム感があれば、読み手を踊らせることができるのです。

文豪と称される人は、それぞれ独自のリズム感の持ち主にして、演奏の達人なのです。なかにはポリリズム（複数の異なるリズムや小節が同時進行してつくられている楽曲）じみた初心者にはとっつきにくいリズムもありますが、読み手がその律動に合わせることができる境地＝

レベルに達すると、これはもう中毒症状を呈してしまうほどの魅力があります。エレキ時代のマイルス・デイビスの演奏の複雑な複合リズムに気付くと、もうそこから抜けでられない泥沼に全身が落ち込んでしまったことに呆然とさせられる。

あるいはピアノが弾ける方なら、ショパンの〈幻想即興曲〉の右手と左手を脳裏に泛べてください——わかりづらいか。

では、わかりやすい例としてレッド・ツェッペリンの〈カシミール〉を挙げておきましょう。じっくり耳を澄ましてください。太鼓は頑《かたく》なに重々しい四分の四拍子を叩きだしていますが、ギターは四分の三拍子（蛇足ですが、明らかに正規のギターチューニングではありませんね）を刻んでいます。結果、四小節でひとまとまりの複合したリズムのユニットができあがっています。

なにを書いているんだ？　と怪訝に思われる方もあるかもしれませんね。複雑なホルストなどは避けて〈カシミール〉をもってきたのですが、音楽の素養がなければ、わからない事柄かもしれません。単純な算数なのですが。

とにかく執筆にポリリズム？　なんのこっちゃ？　と首をかしげず、意識してください。意識しないことには始まりません。

まずは文章上の基底となるリズムを持ちましょう。ポリリズムの境地もありますが、とりあえずリズムを意識しだした貴方は、四分の四拍子でかまいません。ずっと四分の四拍子で演奏してかまいません。

けれど、そのリズムが狂うのは修業としてはいただけない。

必ず自己の内面に、作品に合わせた確たるリズムを持ちましょう。

正確にリズムを刻めるようになったら、そこに四分の三拍子で単語を置いて執筆してみてください。

すべては意識上の問題です。しっかり意識した者の勝ちです。

ケンカに勝つには、自身の内面に絶対に動じることのない基本的リズムを持つこと＝律動を確立することです。これが小説的腕力につながるのです。

一例をあげておけば、山田風太郎は五七五のリズムで文章を紡いでいる。漠然と読んでいる人は気付きもしませんよね。読者は、それでいいのです。愉しむことがすべてですから。

けれど貴方は小説家です。こういうことに気付かないようでは、先が思いやられる。次は、実際の律動のつくりかたに入ります。

第26講 リズムについて2

律動＝リズムの実践篇です。

私が小説を書きはじめた当時、あれこれ拙い考えをもって試行錯誤したことを下敷きに記していきましょう。

両親をはじめ家族に対して、ちゃんと学校に行っているように見せかけるのに、けっこう苦労させられましたが、小学校のころから能動的不登校だった私には、習うという発想がありません。

習うかわりに自分で考える。

小説教室なるものがあるのは漠然と知っていましたが、そんなところで勉強して他人の色が付いてしまうのは絶対に避けなければならないというのが、私の基本姿勢でした。

中途半端な先生に習うくらいなら、抽んでた本物の小説家から学ぶべきだと、古本屋の店先の百円の棚からほぼ無作為に文庫本を買い漁り、作品の冒頭を原稿用紙に写してみた。これが私の最初の小説の勉強でした。

驚きました。好き嫌いと無関係に、一流は皆すばらしいリズム感で文章をつくりあげている。

読点の打ち方ひとつとっても、ここ以外に打ってはいけないというところに、ビシッと打っている。

すべては文章表現に奉仕するために精緻にして確実なリズムで仕切っている。揺るぎなき理詰めのリズムで文章を構築している。

しかも手練れたちは、程度の差こそあれ、ほとんど無意識にこういった高度なことをこなしている気配が横溢《おういつ》している。

三十過ぎて彼女を銀座で働かせてぶらぶらしている日常に飽いて、いまさらヒモでもないだろうということで志した小説家でしたが、これは大変な世界だと一瞬、臆してしまったことが懐かしく思い出されます。

私は文学追究といった高尚な動機からではなく、独りでできる職業として小説家を志望し、なんらかの収入を得ることを目的としていました。

心の底には小説家を目指して挫折して死んでしまった父のことがあったはずですが、当時はそれがまったく念頭にのぼらなかった。それでも恰好よい言い方をすれば、血に突き動かされていたのでしょう。

下手くそなギターを弾いていて挫折したことは以前に記しました。けれど、それでも達人の演奏を真似していけば、才能がないなりにある程度の地点にまでは辿り着けることを実感していました。

ですから達人の文章をコピーすることは、基礎的な勉強としては最上のものであることを直覚していました。

けれど私は小説で飯を食うことを自分に課した。真似れば真似るほど独自性が喪われることの怖さも直感していたので、文章コピーはすぐにやめました。

程度はべつにして、初心者だった私にだって日本語の文章は遺漏なく書けたのです。ならば模倣は程々に――。

島崎藤村から山田詠美まで達人の呼吸、リズムのつくりかたが拙いなりに理解できたのだから、あとは実作して試行錯誤するのみです。

モーツァルトの譜面のことを書いたのは第16講でした。残されている譜面をちゃんと見ましたか。

文章を読み書きする人のよくないところなのですが、往々にして書物に書いてあることをそのまま鵜呑《うの》みにして納得してしまい、実際に見たり触ったり行動したりということをしない。実際にモーツァルトの譜面をあたってみてください。

『モーツァルトの譜面ではありませんが、よい作品は文字の集積がつくるフォルムが端整で陰影が美しい。なによりも律動がある』とも書いていますが、フォルムの美は漢字の配置＝黒い部分と白っぽい部分も含めて、文章にリズムがあるからなのです。

人間の直観を侮ってはいけません。ぱっと見で、ちゃんとよい悪いを感じとってしまうのです。もちろん、なかには苦笑いしか泛ばない鈍い人もいます。それが知識を振りまわすだけの編集者だったりすると目も当てられません。

編集者が新人作家に『この人はダメだ』と思うように、作家も『この編集者はダメだ』と心窃《ひそ》かに思っている場合がある。

相手は出版社に所属しているので書籍を出すために事を荒立てず、淡々と仕事をしますが、直観力や感性は入社試験をクリアするための学業の成績とはまったく無関係なので、じつに残酷なことです。

さて、初心者の私が一番最初に己に課したのは、四分の四拍子でした。

四分の四拍子、一小節に四分音符が四つ。音楽のリズムの基本ですよね。インツー、二拍子でもいいのですが、やや忙《せわ》しない。

三拍子はとてもノリのよいリズムですが、無理やりカテゴライズしてしまえば変拍子《へんびょうし》です。

初心のうちは奇数を重ねて偶数をつくるという循環に意を砕きはじめると、表現をなすという本能に微妙な差し障りがあるかもしれない。

四拍子ならば段落をつくりあげる最低単位のユニットとして申し分ない。何よりもわかりやすい。

私は手書きではじめたので、西友ストアの文具売り場で買ってきた四百字詰めの原稿用紙に、当時の彼女にねだって買ってもらったプラチナ万年筆の太字、黒インクで本能の趣《おもむ》くまま、書きはじめました。筋書きってなんですか〜といった奔放さです。

どうせ人間は辻褄を合わせる動物であるという悟りがありました。私の人生それ自体が辻褄合わせに終始してきましたし。

どんなに無茶なことを書いても、人間は辻褄を合わせるためのあれこれを脳の片隅でシミュレートしているものです。自由なんてありません。

一方で結末ありきの推理小説でもないかぎり、表現に詳細な設計図は無駄です。つまり表面上は完全なる好き勝手でした。

ただ四行一単位のユニットを死守することだけを自分に課しました。

単純なことです。四行一単位で改行していくのです。すると四百字詰め原稿用紙ですから、四行一単位のユニットが五つ並ぶことになります。

なにぶん初心者ですから、ポリリズムや変拍子は敷居が高い。

だからこその四拍子で、原稿用紙上に四行一単位のユニットが五つならぶ姿は、内容はともかく、じつに揺るぎなく、精緻です。じつに見てくれがいい。絵になる。見事なる楽譜です。

アホか！　おまえは小説を書いてるんだろうが――と罵倒する人もいるかもしれませんね。

そう思った貴方は、なにもわかってない大バカだ、とお返ししましょう。

いいですか。前講を思い出してください。『単語や文節の過程はともかく、段落には否応なしに、その段落の「主題」が立ち顕れる』と書きました。

改行するということは、段落に立ち顕れる情感や思想、出来事等々にケリをつけるということなのです。

四行一単位で改行していくということは、そのユニットのなかにその段落の主題をきっちり収めなければならないのです。

許されているのは、八十字。

句読点や鉤括弧《かぎかっこ》もありますし、冗長にだらだら書くわけにはいきません。五七五ではありませんが、俳句をつくりあげるときに似たテンションを保たねば、四行一単位のユニットは、崩壊してしまいます。

主題が曖昧模糊にして不明瞭は、初心者の私には絶対にあってはならないことだったのです。漫然と書く。そんないい加減かつ悠長なことをしていたら、小説という文の芸の壺を摑むのにひたすらな回り道をしなければならなくなってしまいます。

同人誌で遊んでいるぶんにはそれもよいでしょうが、あくまでも私は職業として小説執筆を選んだのですから、小説家的雰囲気に甘えて、よい気分に浸っている余地はありません。

傲慢なことを書いてしまいます。

私は三年目にデビューすると決めていました。初めて書いた作品でプロになるというのはなかなかに恰好いいですが、作品のストックをつくらなければならないからです。汲めども尽きぬ着想をもつ天才ならば話は別ですが、凡人の上に中卒で系統だった勉強を一切してこなかった私です。

ならば三年ほど勝手に下積みをして、たくさん抽出《ひきだ》しをつくっておく。

まったく恥ずかしい。世に出る前から注文に応える算段をしていたのですから。

もちろん三年と決めたのですから、だらだらと新人賞応募生活をする気はありません。三年以内にデビューできなければ次の仕事を探すと決めていました。

でも私には三年目には職業小説家として立てることがわかっていました。はじめから各社新人賞の最終選考に残るという現実面も含めて、自分の書くものは拙いけれど、客観的に先行するプロのものとたいして遜色がないことを見切れていたからです。

そもそも、ちゃんと四行一単位で文章にリズムをつくることまで念頭に置いて執筆していたのですから。

プロの小説家だってピンキリです。まともなリズムを持っていない人まで混じっています。そういう作家は、私のデビューと引き替えに？消えていきました。

いやはやまったく傲岸不遜な三十歳でしたが、俺は小説家になる！　と闇雲に念じて足掻《あが》く狂信とはまったく無縁でした。

こうすればこうなる——という単純なメソッドを自分でつくって、それに則っただけなのです。

読書の習慣もなく、小説的インプットは極小といってよかったのですが、名文とされる作品を書く才能のある作家には、筋書きや着想以前に文章にオリジナルな律動があることを悟っていたからです。

言い切ってしまいますが、書いてあることはたいしたことではないのです。どうでもいいことでさえある。

でも、読まされてしまうのだから、芸というものは凄い。恐ろしい。

しかもこういう作家はマンネリと評されていても、仕事が途切れることがない。職業として小説家を選んだ私が、そうした作家を師とすることは当然の帰結です。

私はいまでもエディタの設定を二十字×二十行の縦書きで（枡目《ますめ》こそありませんが）原稿用紙と同じ体裁で執筆しています。

頼山陽《らいさんよう》が原稿用紙をつくりあげたという俗説もありますが、この二十字×二十行は日本語を用いてリズムをつくるのに最高の体裁です。日本語を扱う人たちが時で磨きあげたフォーマットです。

もっとも二十字×二十行、縦書き云々はどうでもいいことです。花村というある意味保守的な小説家にフィットしているということにすぎません。

一行の文字数は、自分がリズムをつくるのに最適と思われるものに決定してください。横書きが好きなら、それでかまいません。

すべては貴方という個性、貴方のリズムを定着するための方策なのです。これは貴方独自の律動をつくりだすためのフォーマットですから、自己決定しなさい。

フォーマットを決めたら、その段落に確実に思想を、感情を、描写を、すべてをきっちり収めることを心がけてください。

必然的にだらけた描写から逃れられますから、原石である貴方は、すぐに宝石にまで磨きあげられます。

第27講 段落の作り方

本能のままに書けていますか？

委細構わず書いて、けれど頭の半分ではそれを厳密に監視して矛盾を排除し、段落を有機的に接続して主旋律の成立に意を砕く。

この『分裂』は小説に限らず、すべての創作に必須なのです。

分裂に悪いイメージを抱いている方が多いかもしれません。教育それ自体が筋道をつけて、分裂を排除する方向で組み立てられていますし。

けれど分裂は人間が獲得した大切な能力です。牽強附会《けんきょうふかい》ですが、貴方の生命は細胞分裂で成り立っている。

分裂が、基点です。

多細胞生物においては細胞分裂とは自己複製にとどまらない——という生理学的事実を脳裏においておくとわかりやすいかもしれません。

おっと、ＳＦか、と叱られてしまいそうです。やめます。

分裂が過ぎて実際の生活に破綻を来してしまうのは困りますが、虚構をつくりあげるには必須の能力です。

分裂、分裂と書いていますが、精神的な障害とちがってその人の管理下にある意識的な脳の用い方です。

これができない人は、残念ながら単一の反射運動しかできない知識のたっぷり詰まった喋るロボットにすぎません。労働力としてはもってこいですから、せいぜい決められた仕事をこなしてください。

よい『分裂』を会得してしまえば、小説は労せず書けてしまいます。

とはいえ簡単なことではありませんね。そういう頭の使い方がするっとできてしまう人と、努力しようが頑張ろうがいかんともしがたく足掻くしかない方がいるのはわかっています。

これこそが才能、あるいは適性の差です。生育および教育環境がすばらしいものであっても、だめな人は、だめ。まったく身も蓋もありませんね。

それでも貴方は小説を書きたいですか？

ならば秘訣を教えましょう。四行一単位の足枷《あしかせ》はリズムをつくることが主眼ですが、もう一つ重大な側面があります。ＳＮＳの過去の例を引用します。

四行一単位＝八十文字はツイッターの総文字数百四十字よりも少ない。

けれど実際に四行一単位で改行しながら書いてみると、ツイッターなどよりも充実した文章がつくれます。

当然ですね。それはあくまでも『段落』だからです。八十字で完結するのではなく、枚数制限を考えなければ無限に連鎖し、連綿とつながっていく。

それに、なによりも気構えがちがいます。書く内容の密度もテンションもちがう。

「道玄坂《どうげんざか》中華香北亭タンメンうまし」なんてツイートを見ると、だからどうした？　としか反応しようがない。

ツイート＝さえずり。なるほど、さえずりは好意的に捉えればミニマムな情報ではありますが、けれど小説の文章とはなんら接点が見出せませんね。

頭の中で捏ねまわしていないで実作すればすぐわかることですが、四行八十文字で文章を紡ぎだしていくと冗長が排除されます。四行八十文字のユニットがつくれないのだとしたら、それは文章が冗漫だからです。


沖島《おきのしま》のサーフィンは、ボードに対して波が斜めにくる底意地の悪い海底の流れのせいで揺れが左右に攪拌《かくはん》されてしまい、へたをすると珊瑚《さんご》のギザギザに肌を削られてしまう。

沖島の海底の流れは、底意地が悪い。ボードに対して斜めに擽《くすぐ》ってくる。揺れが左右に攪拌される。サーファーはへたをすると珊瑚のギザギザに肌を削られてしまう。

程よい悪文を拵えるのは、案外難しいですね。どちらも悪文ですが、後者のほうがましです。理由は『句点』の存在です。

初心者に多いのですが、だらだら続けてしまう。いつまでたっても句点に至らない。四行八十字でいくなら、いやそうでなくとも、文節を大切に。

一つの情報を一つの句点でまとめあげるつもりで書きなさい。そうすれば読みやすい文章になります。なによりもリズムが出てきます。

文節＝一小節。一小節に音符を際限なく詰め込む愚を犯さないように。

さらに、あれこれ考えを巡らせれば、沖島という固有名詞はどうでもよいかもしれないということに気付く。途中にさりげなく入れておく程度で事足りる。表現したいのは表層の波浪と海底の流れの差異の悪辣さだ。

そこで『沖島』と『底意地』を入れ替えてみましょう。

底意地の悪い沖島の海底の流れは、表層を疾《はし》る波を裏切りボードを斜めに揺さぶり、左右に攪拌する。翻弄され、投げだされたサーファーは珊瑚の尖《とが》りに肌を削られてしまう。

すこし文節を長くして、若干の晦渋《かいじゅう》を仕込んでみました。こうなると、すべては作者の好みの問題に帰結します。

ただ、最初の例文の『沖島のサーフィン』は間抜けです。『サーファー』という主体を入れれば、省略がきくし、すべて伝わる。質素倹約を旨とすべし！

文章は、いかに単純化できるかなのです。

現実においても、いつだって物事を複雑にしてしまうのは貴方に対してなぜかよけいな一言を放つバカなあの人ではないですか。

例文は、もうやめましょう。きりがない。いくらでも直せるのですよ。作者の視点の置き方で、すべては変貌します。

もし、意図しているのだとすれば、冒頭の冗長な文章が悪いというわけでもない。『沖島のサーフィン』が正解の場合もあるし、読みやすさがすべてでもない。

すべては作者である貴方が考え抜いて決定することなのです。

技術レベルが上がってくれれば、いちいち頭をひねって段落をつくらなくても、ちゃんとできるようになります。そのあたりは才能に加えて職人的技巧の領域なので——。

でも、貴方は駆け出しです。徹底的に段落を考え抜くように。

ここでの追究をおろそかにすると、だんだん仕事がなくなっていきます。

なお私は一度もサーフィンをしたことがありません。例文の海底の流れ等はでたらめですので真に受けないでください。

才能の質の問題に移りましょうか。じつに残酷な話ですので、言いたい放題の私でも微妙に避けてきている事柄です。

うーん、弱気が迫《せ》りあがって書く気になれない。かわりに他人の言葉を引用しておきます。

蓋小説《けだししょうせつ》は、よく人情を鑿《うがつ》をもて、見る人倦《あか》ず――馬琴《ばきん》

詩は言語を〈もの〉として、外的世界の一つの構造としてみるが、(小説などの)散文は言語を符号として、対象に達する道具としてみる――サルトル

馬琴は小説という表現が表出するなにものかを巧みに言いあらわし、サルトルは詩と散文における言語の実質的な差異と作用を完璧に分析しています。

重ねて説明する愚は避けますが、すっと頭に入ってこないとしたら問題です。貴方はなにも考えずに文章という論理に対してきていたからです。

学校の試験ではありませんから正解なんてどうでもいいのです。ただ、文章それ自体は誰にだって書くことができるようにつくりあげられた論理形態なのです。

べつに文法を学べといったどうでもいいことを言っているのではありません。文法など文章が書けるなら、無意識のうちに会得している論理にすぎません。

プロであるならば、そこから先の『小説』の論理に思いを致さなければならないということです。

感覚で書き飛ばして大絶賛という才能の持ち主が最高です。羨ましいかぎりです。

けれど、考え抜いている人ほど、とぼけるのが得意だ。やはり表現に努力はそぐわないというか、無様ですよね。

私だって感覚のみで軽々書いているように見せかける。それが人間の自尊心のあり方というものです。

それどころか大量の原稿を書きあげた深夜など、万能感に支配されて、（誰も認めてくれないにもかかわらず）自身の天才性にうっとりしています。

まったく度し難い。こんなバカな私でも小説家の端くれですので、羞恥を怺《こら》えて己の不細工な自惚れを書きました。露悪と自惚れは小説家の大切な資質であり資源ですから。

ただし売れ行きを考えたら、物事をあまり考えない人のほうがうまくいく。なにしろマスはたいしたものを求めていないので。

このあたりは、才能の質とも絡みあって種々の難題を貴方に仕掛けてくるわけです。

そんななかで唯一万能の才能がある。努力精進と無関係な圧倒的な才能がある。

『艶』とでもいうべきものです。

たとえば律動のある文章はプロに最低限必要なもので、それなりのリズム感は実作と勉強を重ねることによって身につけることができる。

けれど文章の『艶』は、リズムのような算数とちがって、安直にものにできるものではないのです。

リズムだって四分音符的単純さではなく、才能のある作家は自身のみが成しえるオリジナリティあふれる自由自在かつ変化自在なリズムを言語表現で達成しうる。

四分の四拍子的リズム表現は、プロとして最低限ものにしなければならないことにすぎません。

貴方は小説家として生き残るために、必ず基礎的なリズムをきっちり自分のものにしなければならないし、その上を目指さねばなりません。

けれど『艶』をものにするメソッドは、ありません。私が新人賞の選考をしていたときにもっとも重要視していたものが、文章の艶でした。

朝井まかては、私が長く関わってきた小説現代長編新人賞の選考時、時代小説の考証に詳しい他選考委員からダメ出しがでてしまい、対抗馬が地獄を描いた強烈な作品であったこともあり、本賞の受賞に至らなかった。

でも私は朝井まかての端整と艶を棄てがたく、強引に奨励賞に捻じ込み、本にしました。行儀がよいけれど、それだけではない。奥に艶を秘めている。

その後の朝井まかての活躍は、いちいち記す必要もありません。

第28講 小説の宿命

切ないことがありました。小説家の心構えにも関係することなので、あえて開陳することにします。

とある連載小説の取材対象者とのあいだに起きた出来事です。取材に協力してくれた方と私は、お互いに住所を知りません。その方が住んでいる大まかな場所は把握していますが、それは小説の本質ではないからです。

万が一にもその方の所在が第三者にわかってしまうようなことのないよう作中では舞台となる土地をまったく変えています。取材自体は長時間の面談、ときに電話、もっとも役に立ったのはメールでした。

その小説は深く切実かつ難解な精神領域を描いたものですので、取材を重ねるに従って私とその方の精神的な結びつきは深くなっていきました。

ある日、取材対象者が私の連載小説について、さらには私のことを記したというノートが取材を仲立ちしてくれた人のところへ届きました。

私の住所を知らないのですから、仲立ちしてくれた人のところへ——というわけです。仲立ちしてくれた人はメールに写真を添付するのが好きな人で、垂れ耳の仔犬が表紙のLITTLE PUPPYというノートの画像を送ってくれました。年齢的にも雰囲気的にも、いかにも取材対象者らしいノートの表紙でした。送りますか？　とメールにあったので、当然送ってくださいと返しました。

けれど、それきり梨の礫《つぶて》で届かない。そのときは作品全体の構想が固まっていたこともあり、取材対象者直筆の新たな資料＝ノートを目にして、それが作品の構造その他に影響する可能性もあるので、まあ、いいか――と最終回を書きあげました。

作品が完成しました。書籍化を考えたときに、新たに書き足すこともあるかもしれません。なにしろ取材対象者の自筆ノートです。目を通すのは当然のことです。

ですから、そろそろノートを送ってくれとメールしました。

ところが、またもや梨の礫だった。

さすがに過日、メールでは埒があかぬと直接、電話しました。

電話でなにかを頼むのは強圧的になりがちなので避けてきたのです。よけいなことは口にせず単刀直入にMさんのノートを頼む、と告げました。その瞬間『棄てちゃった』と洩れ聞こえたのです。

私の電話嫌いを知っている人でしたから、まさか私が直接、電話で催促してくるとは思ってもいなかったのでしょう。驚愕して、図らずも洩れてしまった言葉だったのです。あとは狼狽えつつも知らぬ存ぜぬでした。

そんな人ではないと信じていたのですが、私の落胆は烈しいものでした。というのも、そのノートを書いた取材対象者のMさんは昨年末に亡くなってしまっていたからです。ノートを書いた方は、私の作品の完成を見ずに亡くなってしまったのです。本にするときは、せめてその方が手書きした文字から心の一欠片でも知る努力をして万全を尽くしたい。当然のことです。いま私の手許には、LITTLE PUPPYが表紙のノートの画像だけがあります。

骨髄移植後のGVHDというドナーの免疫が私の肉体を異物として攻撃する症状に苦しんでいます。リウマチに酷似した症状で全身の関節が鋭く痛み、執筆に関係ない部位ならば耐えもしますが、指の関節がとりわけ酷《ひど》くなってきて危機感を覚え、医師と相談してステロイド剤を服用しました。

ステロイドは魔法の薬です。朝昼服《の》んで、その夜にはほぼ痛みが消えました。ただし効き目が激烈なので、副作用も凄まじい。じつはその副作用で背骨を四ヶ所、圧迫骨折をしているのです。それでも執筆できるほうを選ぶというのも物書きの性ですね。

今回の副作用は、まずは強烈な便秘でした。一週間ほど排便できなかったでしょうか。これはこれであまりにもしんどい。私は便秘と無縁な体質だったので耐性がない。

妻が心配して病院に行かされました。生まれてはじめて浣腸《かんちょう》をされました。けれど、出ない。けっきょく看護師が手技で、指で掻《か》きだしてくれました。なにがなにやら〜といった目《め》眩《くるめ》く？初体験でしたが、たいした痛みがなかったのが救いでした。

そんなところに、取材対象者のノートが棄てられてしまったことが判明したのです。

一転して私は烈しい下痢に見舞われた。もらった便秘薬その他一切服用せずとも、水状の便が迸る。

精神的な衝撃は、ステロイド剤の副作用による強烈な便秘さえも駆逐してしまったのです。駆逐という言葉がふさわしいかどうかはともかく、いまさらながらに精神と肉体の密接な結びつきを感じさせられました。

尾籠《びろう》な話を連ねてごめんなさい。

じつは私自身、信じられない気持ちなのです。入院中のモルヒネ投与下でも執筆していた私が、一切書けなくなったのです。

棄てられてしまったのですから、いまさら仲介者を責めても仕方がないと、必死で自分を抑えていました。

これがまた凄まじいストレスなのです。なぜ、遺品のノートを棄てるのか！　心の中で叫んでいました。

私自身、このような精神状態になったのは生まれてはじめてのことです。

ようやく、こうして執筆できるようになりました。打ちひしがれていても、どうにもなりませんからね。とはいえ立ち直るのに二週間くらいかかりましたか。

仔犬のノート。年齢その他からして、たぶん他愛のないことしか書かれていなかったでしょう。

けれど死に至る直前の、心の記録です。読みたかった。読まねばならなかった。

それが、その方の力添えで世に出すことができた作品に対する必然であり、絶対的な義務なのです。

なぜ、即座に送ってもらう算段をしなかったのか。悔やまれます。

私が書きあげたものはノンフィクションではなく、あくまでも小説ですから、その方の精神の詳細な有り様を戴いて、出来事その他大意はきっちり正確に敷衍《ふえん》しましたが、もちろんラストの収束等、私がつくりあげた筋書きに則っています。

私は彼女の手書きのノートに記されていることで、つまり新たなデータでそれを崩されたくなかった。常々気にかけていながら、催促を先のばしした理由です。

その結果、取り返しのつかないことになってしまった。下痢や執筆不能といった精神的ダメージは、私の小説家的自我がもたらした罰として受け容れることで、ようやく心の整理がつきました。

延々私事を書き連ねて見苦しいことこの上ない。ごめんなさい。私がここまで打ちひしがれてしまったのは、その方の文章を読んでいない！　ということに尽きるのです。

永遠に読めない文章は、私を苛みます。これは文ということの、ある一面の真理を衝《つ》いています。

読めなかったことにより、私は脳裏でその方の笑顔や泣き顔、性格、人格、すべてを統合して無数の、けれどその方が記すであろうシンプルな言葉を描きます。際限がない。無限です。

抽象的すぎますが、できうるならば、私の書く小説もこのようにありたいものです。書かれていない部分で、貴方を永遠に誘いこみたい。けれど現実は――。

この永遠に読めない文章と並行して、私の脳裏にある光景が泛びました。小説家の、いや小説という表現媒体のリアルです。

貴方は前途洋々とした新進作家です。様々な思いがあることでしょう。希望、願望、展望、ありとあらゆる望みが貴方を支配しています。

けれど、私が泛べてしまった光景は、じつに残酷なものでした。

古書店の店頭に、どれでも百円と記された平台があります。大量の本が背表紙を日光消毒されてくすんで並んでいます。

一世を風靡《ふうび》した大ベストセラーも並んでいます。けれど誰も手に取った形跡がない。私だって、それらに触れれば、幽かにざらついた土埃や粉塵の意外に強《したた》かな自己主張を指先に感じるに決まっていますし、とりわけベストセラーと称された書籍には触る気もおきない。賞味期限切れどころか消費期限切れだ。食えない物を店頭に置くな。この先も、処分されないかぎり、店晒《たなざら》し直射日光粉塵責めの刑だ。

酷いことを書いていますね。けれど、これはそのまま私の出した書籍にも当てはまることです。

どれでも百円に、私の作品の背表紙を見出せば当然ながら気分は悪い。

Amazon の古本を当たれば、書籍代金一円プラス送料三百五十円といった世界なのです。

これがいまの小説という表現がおかれた絶対的な事実であり、現実だ。

言い方を変えれば、消費されて、棄てられる。

値段の付かない古本を見るたびに、失礼なことですが一世を風靡して、そして消え去っていったグラビアアイドルが泛んでしまう。

いいですか。もはや、いまの時代、どのような御大層な、いやすばらしい純文学であろうが娯楽小説であろうが、私たちの書くものは消費され、棄てられ、忘れ去られる。これが宿命です。

希望を砕くようで申し訳ないのですが、いまの時代に夏目漱石のような立場を得ることは不可能なのです。このあたりの覚悟を、貴方も決めましょう。

私は性格として書きあげてしまったものにほとんど執着がないので、わりと冷徹に、ニヒルに? 対処できます。

プロの作家は、皆、数時間から一晩の消費財にすぎない自身の小説に、苦笑のような悲哀を心の底では感じているでしょう。

このあたりをすっと割り切ることができた人が、いまの時代の小説家として生き抜くことができるのです。

私が常々多作しろと言っていることの底にある意味は、あからさまにしたくはないけれど、この現実を乗り切るには、そして小説家という職業を続けていくには、とりわけ娯楽小説の作家として生きていくには、ある程度の量産が必要だからです。

その一方で、読めなかった文章に囚われて下痢まで起こしてしまうこともある。
私も、どこかの誰かの心に、私の文章で窃かに楔を打ちたい。
とりわけ書かれなかった、書かなかった行間を用いて――。
その気持ちは、棄てていません。

第29講 贅沢は敵ではない

贅沢《ぜいたく》してますか。

貧乏していますか。

小説家は贅沢も貧乏もしたほうがいい。

ところで、基本的に小説家を志す人は貧乏に馴染みがあるのではないですか。

経済的にも豊かな良家の育ちだって、正業に就かず、小説家になるなんて言いだしたら家から拋擲《ほうてき》されるのがオチだ。

もし御両親が『よしよし、貴方は小説家を目指しなさい』などと笑顔で後押ししてくださるようでしたら、これは貴方を人畜無害な役立たずと思っている証左です。

以下に記すことは、きちっと就職もせずに最低限のアルバイトをして生活費を得て執筆に励み、ようやく新人小説家としてデビューできた貴方に向けて書いていますす（どん底ではなくとも、カツカツの中流も含みます）。

贅沢してください。

理由は、貴方は貧乏なので底辺とまではいいませんが、中流や庶民的な生活は幾らでも描くことができるからです。

逆に贅沢方面は、ちょっと苦手なのではないですか。私は小さな贅沢といった小市民の頬笑ましいよろこびのことを言っているのではありません。

たとえば一晩の宿泊代金が、貴方がアルバイトをしていたときの一ヶ月の収入よりも高額であるような宿屋の話をしているのです。もちろん、自分の想像力のみで贅沢のあれこれを自在に書きあらわせるという自信のある方は、この先を読まなくてかまいません。

私の住む京都に新人作家が遊びにきてくれると、罠のようなものなのですが二つの選択肢を提示して御馳走します。
①高価な、しかも歴史のある、けれど格式張らない肉系統の料理。
②同じく高価な、歴史のある敷居の高い本格的な懐石（会席）料理。
もちろんどちらの店を選ばせるにせよ、飯代のことなどの無粋なことは一切口にしません。よけいな情報は一切与えない、ということです。

ただし片方は肩肘張らないけれど、もう片方は打ち解けるまでは多少緊張感があるかもしれないといったことは伝えておきます。

どちらの店も客に恥をかかせるような二流ではないということは、ちゃんと伝えてあります。日常的にはラーメンばかり啜《すす》っている（失礼！）ような超新人作家ですから敷居の高いほうが苦手なのは承知の上です。

歴史のある、けれど格式張らない肉系統の料理って、なんだ？　と怪訝に思われるかもしれませんが、京都にはそういう店があるのです。

一例を挙げれば坂本龍馬が客だったという水炊きの店があります。文化財指定されてしまって、店舗の改装もままならぬそうです。

でも龍馬が客だったことからもわかるとおり、幕末は階下の風呂に入って汗を流してから水炊きを食ったという気楽な店です。鶏肉とは思えない値段を取ります。

懐石あるいは会席料理。

私は吉兆よりも招福楼系の店が好きです。懇意にしていた（血液の癌のせいで、生ものその他食べられないものだらけなので、過去形になってしまいつつあります）店の吸い物がすばらしい！　微妙な譬えと捉えられ、顰蹙《ひんしゅく》を買ってしまいそうですが、体液の味がします。大好きな女の体液の味がするのです。

この絶妙な塩加減は、どうやって塩梅《あんばい》するのかを主人に訊いたところ、あっさり『飽和食塩水をつくりますねん。これ以上塩が溶けへんいうもんこさえて、それをうちの井戸水で割ってくわけですわ』と秘密を囁いてくれました。

塩を足していくのではなく、極限の塩水を薄めていく。家庭料理にこういう発想はありませんね。

さて幾人もの新人作家に、気楽な方と格式の高い方、どっちに行きたい？　と訊くと、申し合わせたように気楽な方と答えます。

ですから、ねっとり旨い水炊きや鶏皮煎餅を食って愉しいひとときを過ごします。

私は彼らにひと言も発しませんでしたが、本音では会席を食べてもらいたかった。夕飯に五万も六万も遣うということは、彼らが印税で潤えば別ですが、そうそうないでしょう。だからこそ、です。

その水炊きの店はよい値段を取りますが、水炊きは当人がその気になればピンキリではあるけれど、どこでも食べられます。

だからこそ、まだ仕事が軌道に乗っていない彼らには絶対に会席を食べてほしかった。理由は日本の伝統的な料理であり、贅沢だからです。

しかも時代小説などを書くとなれば水炊きも悪くないけれど、〈羣書類従《ぐんしょるいじゅう》　第十七巻〉の〈祇園會御見物御成記《ぎおんえごけんぶつおなりのき》〉に記されている将軍足利義晴《あしかがよしはる》が大永《だいえい》二年六月の祇園會で食べた式三献《しきさんこん》から始まるやたらと豪奢《ごうしゃ》なコース料理に通じる食事を、自身の執筆のためにも是非、食べてもらいたかった。

形式化しているからこそでしょうが、落ちめの将軍がこんなに贅沢な物を食っていた——ということを知ってほしかった。

ちなみに〈祇園會御見物御成記〉に書かれている『うちみ＝打身』とは刺身の古名で、生魚を杉形《すぎなり》に盛って、そこに盛り付けた魚がなにであるか示すために左右の鰭《ひれ》を刺したもので、刺身の語源です。

鰭を刺していたから、刺身。

伝統のある料理屋の主人と言葉を交わしていると、ぽろりとこういう蘊蓄が零《こぼ》れるわけです。

いちいち作品にはひけらかしはしないけれど、知らないのと知っているのとでは大違いです。自宅を建てるときに厨房《ちゅうぼう》器具を見繕いましたが、流しでもプロの使用するものはステンレスの厚みが大違い、それが一見してわかるものですから徒疎《あだおろそ》かにはできません。せいぜい貴方も分厚いステンレスの流しになるべく研鑽すべきです。もちろん、金がかかりますけれど。

こんな話がありました。ある作家が再婚して、いまさら新婚旅行でもないが京都に遊びに行くという。私は京都ホテルの会員だったので、スイートの半額券が手許にあり、それを贈りました。

後に夫妻と会ったときに、奥様がよけいなことをしやがってといった顔つきで『私たちには高級すぎました』と言い、旦那様は『広すぎて面食らっただけだよ。俺たちはビジネスホテルで充分だ』と仰いました。

いままで一流ホテルのスイートに泊まったことがあるかと訊きました。ないと即答です。だからこそ私は半額券を贈ったのです。

まずは新たな旅立ちおめでとう。そして半額ですむのだから最上の部屋に泊まって、今後の執筆に活かしてくれという思いでした。ビジネスホテルなら誰でも泊まれます。その設備や造作等々遺漏なく執筆できます。

けれど一流ホテルの最上級の部屋を描くとなると、泊まったことがあるのとないのでは大違いでしょう。

半額で泊まっておいてケチ臭《くせ》え――と唾を吐きたい気分でした。

なぜ、贅沢を知るよい機会と捉えられなかったのでしょう。小説家ならば自身の作品執筆のためにいつかは役に立つと、最上の部屋をしっかり取材すべきでした。

ようやく三冊目の本が出た。編集者から打ち上げをしましょうと連絡があった。チャンスです。いつでも食べられる料理に逃げないで『ナニナニが食べてみたい』と率直に迫りましょう。

自分の嗜好《しこう》ではなく、いままで食べたことのないもの、小説に活かせそうなもの、そういった小説家的な発想、職業的発想でお願いするのです。それが、たとえ高価で贅沢な食事であっても、自身の執筆の先々にとって有益であると頼み込みましょう。

断られた？　ならば自腹で食べればいいだけのこと。

誰かに奢《おご》ってもらうよりも、自腹のほうがいいに決まっています。当然ながら奢ってもらうよりも、半額券よりも、身銭を切って総額を支払うほうが真剣味がちがいます。

貴方が未知の世界をすべて想像力で遺漏なく描くことのできる天才ならば、こういった浪費は不要です。

けれど帝国ホテルのスイートの快適さは、泊まった者しかわからないと言い切れます。やがて高額な料理や部屋に泊まることに対して臆する心が消えていきます。なんてことはない――と感じる瞬間が平常心とともにやってくる。

所詮は食堂であり、宿屋だ。けれど提供するものにもサービスにも、いろいろな種類があります。

だからこそ、ピンキリを知りましょう。煩瑣にならぬよう食事と宿泊だけにしておきましたが、いろいろなところで贅沢してください。それで金がなくなったら、書きまくりなさい。貴方は小説家ですから。

さて、最高の贅沢はなにかと訊かれたら、私は『野宿』と答えます。

私は野宿の達人です。二十代なかばから三十代の初めまでは自宅にいるよりも屋外で眠っていた日々のほうが多いほどでした。

強調しておきますが、昨今流行りのキャンプではなく、野宿です。テントなんて張りません。雨が降っていなければ林道の路肩にごろり、雨が降っていれば屋根付きのバス停のしたにごろり——。

小説家になってからは、やや日和《ひよ》ってワゴンの荷室に寝袋という、いまでいう車中泊で旅を続けました。

さらにはこうして軀を壊してからも某原発の様子が知りたくて野宿してきました。寂れきった商店街に溜息をつき、横着して河原のベンチで寝たら、雨が降ってきてあわてて駅舎に逃げこみましたけれど。

食事も自炊が一番です。いまは袋麵や乾麵に凝っていて、あれこれ取り寄せています。真冬の深夜にあえてマルちゃん正麵の冷し中華を啜る幸福ときたら！　ちゃんと千切りキュウリに錦糸卵も添えますし、酢や花椒《ホワジャオ》を加えて味を調えます。農心のカムジャ麵も大好物です。

私は妻が丹精込めてつくってくれる夕食以外は、すべて自炊です。

野宿も自炊も贅沢です。チェックインだの予約だのといった鬱陶しい関門がありませんからね。

食いたいときに食い、眠りたいときに地べたで眠る。

だからこそ逆に自腹で散財しました。

私は小説家なので、ごく普通の読者の憧れを操るのも、高級なものなど空疎であると迫るのも、その実体や実質を知っておかねばならないからです。

どちらがよい悪いということではなく、両極を知っておくことこそが大切です。

身の丈？　なんですか、それ。

貴方は金を払うのだ。職業的な観察のために出向くのだ。硬直した気構えと自意識は、マイナスです。ジーパンにTシャツで平然と帝国ホテルのスイートに泊まりなさい。

一般客は入ることができない上層階の特別なフロアには、スイートの客だけのために控えている二人の和服の美しいお姉さんがいます。会釈すると、すばらしい笑顔を返してくれますよ。

第30講　リズムについて3

はじめに、リズムありき。

ロック・ミュージシャンの言葉ではありません。ベルリン・フィルハーモニー管弦楽団の初代常任指揮者ハンス・フォン・ビューローの言葉です。

娘のコジマがビューローと結婚したフランツ・リストは、ベートーヴェンの交響曲第七番を『リズムの神化』と評してもいます。慥《たし》かに第七を聴いていて訪れる静的かつ揺るぎないリズムがもたらす恍惚は、まさに神懸っています。

第七と違って派手なリズムをもつ第九を持ちだすまでもなくベートーヴェンの楽曲は、リズムの権化です。

第七でも第九でも、シンプルにして超越的なリズムの上に、シンプルにして超越的なメロディが置かれている。和声もシンプルであるけれど、意外なほど新しい。全てが抽んでていますが、その傑出は、やはり『はじめに、リズムありき』なのです。

権威に乗っかるのも忌々《いまいま》しいけれど、クラシック（語源はちゃんと納税する者という意味です。鬱陶しい！）の泰斗の言葉をじっくり噛《か》み締めてください。

いままでさんざん文章におけるリズム、律動のことを語ってきました。

私が小説でそれを成しとげているかどうかはともかく、先達たちは見事なる独自のリズムで文章を紡ぎ、私たちを恍惚に誘ってきました。

どうか常にリズムを意識して文章を書いてください。

律動による陶酔、そして統御《とうぎょ》。

言葉にすると簡単ですが、実際にそれができるかどうかは才能の問題に帰結してしまうのでなんともいえません。

陶酔なんてノリノリ（死語）の執筆状態ならば誰にでも訪れますが、統御が重要なのです。

新人の作品をざっと見わたしてみると、どうしてもリズムが弱い。創造の才能がない人は、ついついとっつきやすいメロディ（小説でいえば筋書きですね）に逃げてしまう。

でも、貴方の醸しだすメロディは、貴方のオリジナルですか？　いままで無数に読んだ小説のメロディの摘まみ食いであり、焼き直しにして、適当な順列組み合わせにすぎないのではないですか。

そこに世情や傾向と対策をチョンチョンとまぶして創作した気になっていませんか。こんな安易なところに逃げていては、結果を出せないに決まっています。まずはリズムを鍛えましょう。リズムは全ての創作の原点なのです。

私は貴方に小説界のベートーヴェンになってほしい。本気です。

そのためには、まずリズム。常に心してください。ただし小説界のベートーヴェンは他人に口にしないように。誇大妄想と嘲られるのがオチです。

でも、秘めたる意識は『はじめに、リズムありき』で、全ての（正確にはあるレベルから上のリズム感をもった）読者を完璧に搦《から》め捕る、いや打ちのめすことを目指してください。これができれば、評価はあとからついてきます。

さて、新人賞ですが、なぜ小説家が選考委員をするのでしょう。

編集者や書評家、さらには一般読者、あるいは書店員。こういった方々が選考する賞もあるようですが、主流ではありません。ほとんどは小説家が選考をする。

編集者でも書評家でも書店員でも単なる読者でも、誰でも小説のことは語れます。けれどいかに多読精読を誇っても、絶対に乗り越えられない壁があるのです。

——作ることができないならば、理解したことにはならない。

ナノテクや量子コンピュータの先駆である量子論の天才、リチャード・ファインマンの言葉です。

小説を書けないということは、小説を真に理解したことにはならないのです。どのような卓見に感じられても、小説が書けない人の意見は、じつはラーメンの美味い不味いを評価しているのと同様であり、受け手の感想にすぎないのです。

私自身、書く前と書きはじめて職業作家になったあとではまったく小説に対する見方が変わりました。客観のレベルがまったく別種の域に移ってしまったのです。

このラーメンは丸鶏のスープに昆布や煮干しの出汁《だし》が合わさっているなんてことは、人並みの味覚さえあれば誰にだって言えるのです。

反撥を覚える方もいるでしょうが、極端なことを書きます。編集者も書評家も小説で飯を食うつもりなら、発表するしないは別としてとにかく小説を書くべきです。虚構を構築すべきです。

四股《しこ》と鉄砲で充分に鍛えて、実際に組み合って土俵に転がって土にまみれてみなければわからないことがある。

小説家が胸中で編集者や書評家をどこかバカにしているのは、その評価や批評がかなりの部分で的外れだからです。小説家だけの会話で交わされる編集者や書評家に対する言辞（呪詛）は、こうして率直にあれこれ書いてしまう私だって怯《ひる》むくらいですから。

さて編集者、書評家、小説家、この三バカのなかで一番の大バカはどれでしょう。

究極のバカは、間違いなく小説家です。正確に言えば、編集者や書評家の意見を見下してコケにしてバカにする小説家です。

私たち小説家の仕事の本質は、じつはこういった味わうだけの人たちに向けて書く＝表現するものなのです。

ずれた評価を受けたときに、それを編集者や批評家＝読者のせいにする愚を犯してはなりません。ずれた批評が放たれてしまうのは、貴方の作品がずれているからです。未熟だからです。

当たり前のことですが、土俵の土に汚れていない読者を説得し、意図した筋道に誘導するばかりか、それによって感動を与えるのが小説家の仕事なのです。

前言を翻すようですが、すばらしい編集者はいます。抽んでた書評家もいます。この編集者は凄い！　この書評家は見事だ！　と叩頭《こうとう》したくなるような人もいるのです。

彼ら彼女らは、おそらく実際に小説を書かずとも脳内で虚構をつくりあげる力があり、その質がある場合、小説家よりも優れているのでしょう。

つまり編集や批評の仕事に対して、背後にしっかりした創作の裏付けを隠しもっている。その気になれば、あるレベルの小説を書けてしまう人です。

でも悲しいかな、読書量や知識しか誇るもののない職業人が多数なのも現実です。

もちろん読者のなかにも、優れた質の虚構構築能力を隠しもった人がいる。いずれ小説を書いて新人賞を受賞し、第一線に躍りでる人です。

難しいのは『私には抽んでた虚構があり、すばらしい才能がある』といった自己申告が一切通用しないことです。

くどいと言われるかもしれませんが、繰り返します。貴方が与《あずか》り知らぬ第三者が問答無用で貴方の作品を認めることこそが、実力ということなのです。

これはべつに小説に限らず全ての創作、仕事に当てはまることでもありますね。

就職して、いくら口で私の能力は超越的ですと強弁しても、実際に働いて衆目が認める結果を出さねばただの痛い人です。

自負心と自尊心は、実力と客観がともなわなければ、往々にしてその人の人生を破壊してしまいます。

新人賞を受賞してもほとんどの人が消えていきます。消滅していく人に共通しているのは最低限の虚構を拈《ひね》りだしはしても『客観』がなく、『統禦』ができていない、あるいはできないからです。

虚構の最重要点は自身が拈りだした虚構を小説家の目ではなく、編集者の、書評家の眼差しで吟味することなのです。

ここで見事な顚倒が起きましたね。小説家である貴方は透徹した編集者、そして書評家、さらにはごく普通の読者の目をもたねばならないのです。

誰だって妄想くらいします。けれどその妄想を虚構にまで高めるには、他人の眼差しが必須なのです。それも小説家の眼差しではダメなのです。

小説という散文をつくりあげるには、複数の視点で己のつくりあげた虚構、それを記した文章を精緻に分析する並行処理能力が必要なのです。

ただしそれをいちいち意識してやっているうちは、うまくいかない。考えていては、うまくいかない。これらを直観的に行わなければならないのです。

書けないと頭を抱える貴方は、考えてしまっているのです。考えこまなくてはできないようでは、この仕事は無理なのです。

考えこむということは、立ちどまってしまうということ。そこで文章のリズムがぶつりと途切れて、じつに脆弱かつ無様なものに転落してしまう。

『はじめに、リズムありき』――なのです。しかも『作ることができないならば、理解したことにはならない』――につながって、虚構をつくりあぐねて頭を抱えてしまう貴方は、小説を理解できていないのです。

まがりなりにも新人賞を受賞し、世に出たのに、次以降がうまくいかない。はっきりいって受賞はそのときの最終選考作品がドングリの背比べ、出版社の受賞者を出したいという意向に沿って傷が少ないだけの作品が選ばれるという場合が多々ある新人賞です。

こういうときに書評家から、なんであんな作品が選ばれたのかと苦言を呈されると、選考委員は本当につらい。

文学系は受賞作なしがかなりあるけれど、娯楽小説のジャンルの選考委員はけっこう気配りして、これは先がないなあと思いつつも、受賞作を出すべくディスカッションを重ねる場合が多い。努力して、無理やり受賞作を出す。

どこかおかしいですね。でも、このあたりは娯楽小説ならではの配慮なのです。

『化ける』という言葉があります。下駄を履かせてなかば無理やり受賞させた方が、幾作か書いていくうちに、つまり原稿料や印税をもらって気持ちが引き締まっていくうちに、稀ですが化けることがあるのです。

消極的ではありますが、選考する実作者たちは、この人はひょっとしたら化けるかもしれないという淡い望みをもって受賞作を決定する。新人賞を受賞したくらいで調子に乗ってはいけませんよ、という話です。

さて、受賞したけれど、次がうまくいかない。いくら書いても原稿を突き返される。あるいは、ある程度うまくいっていたのにしぼんでいってしまった。

歯がゆいですね。つらいですね。このいくら書いてもうまくいかない輪廻に似た地獄を克服する方法は、リズムにあると私は確信しています。

自分の小説の需要が消滅したとき、貴方は真剣にリズムに立ち返りなさい。自身のリズムを確立できなければ、残念ながら幕が下りてしまいます。

第31講 無限を表現する

さて、今回はいっしょに考えてみてください。期限のない宿題です。

『無限』を、どう表現するか。

〈大辞林〉では――限りがないこと。どこまでも続くこと。また、そのさま――と辞書の限界を示す記述がありました。

ここではあえてアリストテレスやアナクシマンドロス、あるいはカントやヘーゲルといった哲学者の無限に対する考察は（もちろん参考にしてかまいませんが）煩瑣に過ぎるのであえて省略して、文字どおり『無限』を小説表現においてどのように描くか考えてみましょう。

『無限』といえば辞書に頼るまでもなく『限りがないこと』であると誰だって定義するでしょう。

でも小説で『無限とは限りのないこと』と書けますか。限りがない――そのまんまじゃないですか。とても小説家の表現とは思えませんね。

無限のような抽象の極致にこそ、的確な比喩を与えてあげたい。けれど、たとえば『合わせ鏡のなかに顔を突っこんだような』といった程度なら、べつに小説家でなくとも思い泛びます。

愷かに子供のころ、二枚の鏡のあいだに自分の顔でなくとも人形などをおいて、幾何級数的（ほんとうのところは、どうなのかわかりませんが、幼い私にはそういうふうに見えた）に収縮しつつも無数に映じる人形の姿に無限を見て小さく息をついた記憶が私にもあります（物理的な鏡には光学的限界があり、無限反射は有り得ませんから、無限ではありませんけれど）。

無限を的確に表現するとなると、どうしてもこのあたりに収斂《しゅうれん》してしまう。わかりやすい喩《たと》えには利点もありますが、文筆家でなくとも思い泛ぶ比喩を用いるのには若干の抵抗があります。

さりとてこういった抽象に対して比喩を並べて凝れば凝るほど本質から遠ざかっていってしまうことも小説家なら痛感している。さあ、困った。

私の書くものは娯楽小説だから、そんなことはどうでもいいです――というならば、それはまさにどうでもいいことです。ここから先を読む必要はありません。

娯楽小説家として大成するには、あれこれ考えすぎないことが大切です。これは決して皮肉でもなんでもなく、娯楽を提供する側は、娯楽を享受する側と乖離してはならないという鉄則があるからです。

外出できない身の上なのでいまはどうかわかりませんが、一昔前はキヨスクにノベルスや文庫が置かれていて、それが侮れない売れ行きを示していたそうです。

東京駅で〈新幹線のぞみ殺人事件〉なるノベルスを買い、車中で頁を繰り、新大阪駅に着いたら座席に放置して下車――といった需要があったのです。

書く側も読む側も割り切りがあり、つまらない御託を並べるよりもいっそ清々《すがすが》しい。

そもそも娯楽とは、こういうものです。見ているさなかは定型に安心して身をまかせて手に汗握り、映画館を出たとたんになにを見たのかはっきり思い出せないハリウッド映画は、劣るものですか？

もちろん芸術的な映像作品を否定するものではありません。娯楽映画は芸術的な映画表現から巧みに摘まんで伸びていく。

先鋭的かつ芸術的な作品も定型を外さない娯楽作品も、じつは等価です。

もちろんランク付けはできます。すべての表現には揺るぎなき優劣があります。

けれどそれはランク付けする者の相対的な価値基準にすぎません。

芸術的な作品を見たり読んだりしただけのくせに、偉そうに娯楽を見下す言辞を吐く頭の足りない人が、私は大嫌いです。

創ってから喋ってほしいですね。意見を口にするなと強圧的なことを言うつもりはありませんが。

純文学が好きなら、そこに自身の不純や劣等感をまぎれこませて居丈高——というのは無様で惨めで滑稽で最低最悪です。

さて、無限。

自身の頭の中で無限に対する的確な定義ができあがっていないと相当な難題です。

そもそもこの世界に無限は存在するのか？

この問いかけは、あえて貴方に投げかける大切なヒントです。たとえば宇宙。ダークエネルギーによる斥力《せきりょく》のせいで超光速＝光よりも速く宇宙は遠ざかっているそうです。

だから私たちにとって観測不能な宇宙は、無限といっていいでしょう。一方で光が追いつかないにせよ宇宙の果てが遠ざかっていると解釈すれば、宇宙は有限であるとすることもできます。

無限という概念は、その立場に拠っていかようにも解釈可能です。小説家は、その作品にふさわしい無限を設定し、その作品にふさわしい無限を表現すればよい。

いきなり結論ですね。けれど、それがあっさり達成できるならば苦労はない。ＳＦ作品を書く人など、このあたりは常日頃から頭を悩ませているのではないですか。なんとか無限や永遠の象徴を摑まえようと日々悪戦苦闘しているのではないですか。

抽象度の高い言葉に対する苦労は、ＳＦだけに限るものではありません。時代小説で過去を描くことの本質は、じつはＳＦ小説などよりも精緻な時空間に対する認識が必要なのではないか。

批評家的な言辞を吐きますが、いまの時代小説にかぎった話ではありませんが、先達のつくりあげた定型にのっかった安直な表現ですませているものが多すぎます。

もちろん現代や未来を描こうが虚構は自在に時空間を行き来できるのですから、それに対する感性と透徹した思考が必要です。

小説家は常日頃からありとあらゆる思考実験をすべきです。それが作品の幅につながります。たとえそれが娯楽小説から逸脱しているとしても、どうせ執筆するなら娯楽を極めたくはありませんか。とことん考え抜いて、手癖で書く。これが理想です。

私自身のことを書けば、無限についてここしばらく考えていましたが、これという決定打には至りませんでした。微妙にストライクゾーンから外れている近似値的なあたりをうろうろしている無様さでした。

これはアプローチの仕方が文学的すぎるせいだとようやく気付き、発想を転換し、真に存在する無限について思いを巡らせました。すぐに真の無限に行き当たりました。

円周率です。円周率といえば3.1415926まで求めた祖沖之《そちゅうし》が泛びますが、中国の算術に関する事柄は、私の趣味にすぎないので割愛します。

3.14159265358979323846264338327950288 4——一応記してみましたが、無限なのでやめます。

現在、円周率は百兆桁まで計算されているそうです。

『で、円周率がどうかしたの？　無限に続くことはわかってるけどさ』と若干の軽侮を含んだ問いかけがなされそうですね。知っただけで、理解したつもりになってしまう貴方の限界が如実にあらわれています。

このような表層しか見透せぬ小賢しい人は表現に携わる資格がありません。実務的な能力は充分でしょうから、きちっと就職して出世してください。

314159265358 ――この数字は3.14から小数点を省いたものではありません。円周率の小数点以下1兆1429億5310万8634桁目に出現する数字です。

0123456789は小数点以下1兆7815億1406万7034桁目に出現します。

0000000000000は1兆7555億2412万9973桁目にあらわれます。

きりがないからやめますが、人間にとって意味を見出すことのできる数字が、じつは無数に出現するのです。

もちろん円周率自体は人間のことなど無関係に永遠に＝無限に続きます。

さて、ここで無限について考えを巡らせてみましょう。

私たちは円周率に出現するある数字の組み合わせに意味を見出すことができる。円周率は無限である。

そこから導きだされることは、たとえば私のこの駄文が二進数で記述されている部分も必ずあるという事実です。

『それはないだろう』と苦笑いするのは勝手ですが、貴方は『ない』と断言する明確な論理的根拠を提示することができますか。

無限に続くランダムな数字は、無限であるからこそ、すべてを包含するのです。そう考えることこそが論理的です。

ユニ（単一）バースではなく、無数の宇宙が量子的な『重ね合わせ』状態にあるとするマルチバース、無数の世界が同時に存在しているとするエベレットの多世界解釈など、量子論をひもとくと、目眩く無限が論理的に展開されています。

マルチバース宇宙論では、当然のごとく、この地球とまったく同じ星に私とまったく同じ人間が私とまったく同じことをしている宇宙が存在すると規定しています。無限に宇宙があるとするならば、それは当然のことなのです。

物理学、わけても量子論的な方向から思考を紡ぐと文学、小説的な表現を嘲笑うかのような無限の実相が露わになります。

もちろんこの量子論的事実を単純に小説に落とし込むことはできないかもしれません。けれど円周率の無限のなかに、自分の小説が隠されているという事実を知ると、無限という言葉の表面にこびりついている悪《あ》しき文学性や旧来の思い込みなどの垢が一気に剝がれ落ちて、無限の意味が新たなリアルと光輝を放ちます。

小説家が文学的表現に意を砕くのは当然のことですが、それに婬して旧態依然の表現を続けていくことに安住するのは出版という文化の否定につながっていきます。

小説という表現を永続させるために、そして貴方自身の虚構を屹立《きつりつ》させるためには、現在進行の種々の学問の果実をしっかり味わい、謙虚に理解する努力をし、率直に取り入れていくべきでしょう（とはいえ量子論、いくら学んでもわかりませんね。けれど幾年も夢中になっている私は、ファインマン図や簡単な数式ならば理解できるようになっています。あわせて思索の根底が大きく変貌しています）。

こう書くと『小説は物理学に跪《ひざまず》くのか』などと短絡する人が必ずあらわれる。傾向と対策とどう違うのかと疑義を呈してくる中学生もいるでしょう。

そんな有象無象には、申し訳ないが〈たった独りのための小説教室〉という題名をあらためて謹上致します。

第32講 エンタメ作家の心構え

水路づけ、という心理学用語、御存知ですか。

有斐閣《ゆうひかく》〈心理学辞典〉渡辺弥生氏の記述を要約させていただく。

水路づけとはフランスの心理学者ジャネが提唱したもので、欲求を充たす手段が幾つかあり、そのいずれも選択可能であるのに、たまたま選んだ手段が欲求を充たしてくれると、次からはその単一の選択と手段が欲求とつながって固定化してしまう心理的状態のことをいいます。

自炊において手っ取り早く腹を満たすにはレトルトやら冷凍食品等々いくらでも選択肢があるのに、なぜか私は一日に一食はインスタントの袋麺という呪縛に囚われています。私は料理が上手で家族に食べさせるときはあれこれ腕を振るいます。けれど自分の食事となるとインスタントラーメン一択です。他のものをつくる気がおきないのです。

つまり私の脳には袋麺、それもマルちゃん正麺かカムジャ麺という決まりきった選択と、計量カップで計った五〇〇ccの水を燕三条《つばめさんじょう》製のステンレス鍋で沸かし、インスタントラーメンばかり食べていることから生じる古臭い罪悪感をごまかす手段として、必ず溶き卵とウインナを加えて蛋白質《たんぱく》を補給するというお題目を掲げ――と、水路が深々と掘られてしまっていて、それ以外の選択と手段を選ぶことがなくなって、いや、できなくなってしまっているのです。

アメリカの心理学者マーフィーによると人間の趣味や習慣、さらには価値観が固定化してしまうのはこの水路づけによるとのことで、私の袋麺は完璧にこれに当てはまります。

袋麺はカップ麺よりも安価で水の量と茹《ゆ》で時間をしっかり計れば他のどんな食べ物よりも合理的であり、ある程度の味が保証されているという信念？が形成されてしまっているのです。

小説家になる前はいろいろつくっていましたが、書くことに集中するあまり、時間惜しさからあれこれ凝る気力がなくなりました。

それならば妻の用意した物を食べればよいのですが、執筆に集中すれば食事時間などお構いなしです。せっかくの料理がテーブル上で冷えきっているのを見るのはさすがに心苦しい。

結果、腹が空いたらささっと自炊する。選択としてはカップ麺が一番手っ取り早いけれど、あまりにも簡便すぎ料理の要素の欠片もない。で、袋麺に落ち着いたわけです。

もっともこうして書いているうちに、日々袋麺というのは、いくらなんでも落ち着きすぎだろう——と呆れてしまいました。私の袋麺の選択と手段の水路の深さは、日本海溝級です。

ところで脳における水路は、本来は無数にあり、複雑に絡みあってあちこち柔軟に水が流れるようにできています。

幼い子供は大人など思いもつかぬ発想をします。小説執筆におけるインスピレーションが天から降ってきた！　というようなときは、必ず水路づけとは正反対の自在に流れる水流が思わぬところに流れ込み、ときに洪水を引きおこし、常識的には有り得ぬ反応を起こしているので

目に入らぬか!!

す。

　けれど恐ろしいことに執筆を幾年も続けていると、いつのまにやら袋麺を食い続ける私のように、たった一つの深く抉《えぐ》られた水路にしか水が流れなくなってしまう。自在に流れ、水がどこに至るのかわからない水路づけと無縁のすばらしい脳の有り様が喪われる。

　勘のよい貴方は感づいているでしょう。流れ作業や事務職などのパターンを踏襲する仕事。もっとも端的なのは、いささか厭味であるのを承知でいえば官僚の仕事。

　それらは水路づけができているロボットのほうが無難にこなすことができる。

　あるいは入試。この問題にはどんな意義がある？　などと考えこみ、立ちどまってはまずい。入学試験に特化した水路づけができているほうが、うまくいく。

　難関の大学に入学し、国家公務員総合職に就く。こういったレール上を駆け抜けて成功するには、水路以上に強化された鉄路＝レールに乗っていることが重要です。

　袋麺で身に沁みている私は、当然ながらそれを否定するものではありません。世の中には単純労働をはじめレールから外れてはまずい仕事や行動がたくさんあるのです。水路づけは、それを恙《つつが》なくこなす大切な要素でもあるのです。

　けれど、小説執筆（に限らず、すべての創作）が水路づけに支配されているのは、問題です。水路づけが作家の個性として多少なりとも作用している側面は認めますが、誰もが思いつく水路づけからきている描写や筋書きを得々と提示されては、読み手はたまったものではありません。

想像してみてください。レール上を走る中央特快東京行きを。線路は現実に立ち顕れた最強の水路づけです。ときに脱線もしますが、おおむね定時に発車し到着する。東京行きが鹿児島中央駅に着くことは有り得ません。

もちろん列車に気持ちを託して描写することはできますが、自在感のみを捉えれば、たとえば自動車にはとうてい敵《かな》いません。

自動車は運転者の心情を象徴し拡大するかたちで動き、道から外れがちで東京が目的地だったのに気分で鹿児島に着いてしまうこともある。つまり道から外れるのが得意です。

けれど東京─高尾間を走る快速電車E233系の外装やメカニズムを延々描写されても、鉄道マニアでない私はそれを読む気にはなれません。

撮り鉄だって、水路ならぬ鉄路の最たるものである中央線快速電車＝通勤電車に向けてあまりカメラを構えはしない気がします。

おっと派手に脱線してしまった。私は鉄分がまったくないので、中央快速の列車そのものに魅力を感じることができず、加えて中央快速は自動車やオートバイにくらべて憑代《よりしろ》あるいは呪物として成立しにくいという話でした。

私が鉄ちゃんになれないのは、なによりも線路＝レールの存在があるからです。鉄道マニアの方には申し訳ないけれど（私の脳裏では）絵にならない。

では完璧な水路づけの権化である鉄道は小説の題材にならないかというと、じつはレールの上を行くしかないことを逆手にとることができます。

映画ですが黒澤明が企画し、映画化を断念し、後にアンドレイ・コンチャロフスキーが映画化した〈暴走機関車〉という名作があります。ぜひ観てください。

自由を希求する男たちとそれを阻むレールという対比で、絶対的な水路づけを逆手にとる黒澤明という才能＝着想に目を瞠《みは》ること請け合いです。

また、あの巨大なエレクトロ・モーティブ・ディーゼル社の機関車の四重連ならば、中央線通勤快速と違って機械自体の擬人化も生きます。凍《い》てついて真っ白な大地を暴走する四重連の巨大機関車と並行するように駆ける野牛の群れを俯瞰《ふかん》するショットなど、脳裏にありありと泛びます。

話がそれまくって暴走機関車状態ですね。この回の趣旨は小説家が水路づけに陥ってしまってはならないということに尽きます。

けれど、じつは娯楽小説では作品が水戸黄門化してから売れるという現実があります。たとえば延々と同じような話が続くシリーズ物ですが、読者は案外それで一時の愉しみを得るものです。

私が駆け出しのころ、書評家や通の読者が『花村という作家はそろそろマンネリだな』と見限られたころから売れるようになると、ある編集者からアドバイスされたことがあります。

それ、やだな――と思った私でしたが、いまでは深く頷くことができます。

マンネリ＝水路づけの結果でしょうか。これはほんとうに微妙な問題です。

マンネリ作家は、たぶん絶対に水路づけの結果ではないと言い張るでしょう。けれど第三者から見れば水路づけ的作品以外の何ものでもないといった代物も多い。

しかし、それが版元に利益をもたらすくらいに売れているならば、なんの問題もないといえます。

ここで貴方は重要な選択を迫られる。自身の水路づけに対する無自覚な作品を提示していると、飽きられるまではそこそこの売り上げを誇ることができるでしょう。けれど未来は、あまり明るく感じられませんね。

かといって一般の読者に穿たれた普遍的な水路づけを無視した作品を上梓し続けることのできる天才（時代と乖離した独りよがりともいう）の将来は、おなじ水路にしか水が流れない作家と別の意味で明るい未来は拓《ひら》けそうにありません。

以前、〈小説すばる〉の編集長だったYさんが『ベストセラー作家というのは、どこで下げ止まるか、ですよ』と凄いことを言っていました。

どこで下げ止まるか。つまり頂点に達したら、あとは落ちていくしかない。そのときにどのあたりで売り上げが下げ止まるか。

言外に、売れに売れたあげくゼロになってしまう作家も多いというニュアンスを感じとりました。

編集者は小説家をそういう目で見ているのです。恐ろしい業界ですね。あっさり見切る読者も怖い。

けれど新人にして売れてもいないうちから不安を覚えていては、先に進まない。下げ止まるなら結構、それでよし――と肚《はら》を決めましょう。

これも駆け出しのころの話です。光文社カッパ・ノベルスから依頼がきて、プロットを出せという。

記憶ちがいかもしれないけれど、新人作家に『とにかく冒頭に死体を出せ』というアドバイスをする名物編集長がいて、カッパ・ノベルスはミリオンセラーを連発していたといいます。

さて、プロット。

困りました。新人の私でしたが、早くもプロットに類するものをつくることを完全に投げだしていましたから。

だいたい設計図をつくりあげても主人公その他、私が決めたとおり動いてくれた例《ため》しがない。それどころか、主人公が勝手に死んでしまって呆然としたこともあります。

プロットなど不要と悟ってはいたが、なにしろ新人。ここは迎合してもっともらしいものを拵えるか。それとも仕事を諦めるか。

貴方ならこういうとき、どのような選択をしますか。

私は、その場でもらった光文社の緑色の罫線《けいせん》の原稿用紙に『起承転結に則った起承転結』とだけ書いて、プロットとして提出しました。

おそらく光文社の方々は、この新人作家、舐めとんのか？　と内心、眉間に縦皺《たてじわ》を刻んだことでしょう。ところが『起承転結に則った起承転結』が通ってしまいました。〈真夜中の犬〉という作品を書きました。

以後、幾作かカッパ・ノベルスで作品を書きましたが、プロットの提出を求められたことはありません。

なにが言いたいのかといえば、すべてに対して肚を据え、安易な迎合は控えろ、ということです。

恐るおそるは、貴方の寿命を縮めます。人は水路づけから逃れられません。どのあたりまで水路づけに依拠するかは自分で考え、自分で決めなさい。

追記――骨髄異形成症候群で骨髄移植を受けてから四年ほどたったころです。ピタッと仕事がなくなりました。収入がゼロになった。小説家とは、まったく怖い仕事です。

もっとも性格的に楽天性のかたまりである私は、長いあいだ求めていた絵を描く時間ができたと嬉々《きき》として空白を受け容れ、中華の安いアクリル絵具を見繕って、段ボールや廃材に描きまくりました。

無収入に不安を覚えた家族には悪いことをしてしまいましたが、四捨五入すれば七十歳です。会社員ならばとっくに定年退職している年齢ですから、絵という趣味に打ちこむ時間を存分に愉しみました。

貴方に言いましたね。うまい必要はないから絵を描き、楽器を弾きなさいと。それにもうひとつ加えます。

料理を、しなさい。

無聊《ぶりょう》をかこっているというのは大げさですが、絵を描く時間を除くと私は暇でした。なにしろ絵は集中力を高めたら一気呵成《いっきかせい》、それはもう凄まじい勢いと速さですから、時間がある。そこで始めたのが、正確には再開したのが料理でした。料理は好きだったのです。けれど小説執筆が忙しくなって、袋麺だけの水路づけ人間となっていたわけです。

袋麺から離れて和食、中華、洋食——あれこれ拵えているうちに気付きました。料理とは究極のマルチタスクだ！　と。

しかも料理は誰にでもでき、うまくつくれば美味しく食べることができて、家族を喜ばせることができる。

我が家のガスコンロは三口ですが、ブレンダーでかたちを崩した舞茸《まいたけ》などのキノコと大豆・金時《きんとき》・枝豆を合わせたスープを手前左のガスで煮込み、右のコンロではオムライス用のケチャップライスを拵え、奥のコンロではブロッコリーを茹で、それぞれの様子を見ながら卵を割る。生クリームがなかったので卵には牛乳を少量加えました。同時に娘がバターをのせて食べたいと言っていたので、それぞれのコンロの火加減を見ながらジャガイモをスチールタワシで洗い、レンジで加熱します。私は四つの仕事に意識を振りむけている状態です。

レンチンのジャガイモは、レンジにおまかせでしょ——と思った貴方は、実際に料理をしたことがないですね。

ジャガイモには規格があるわけではなく大きさがバラバラです。それらに具合よく熱をとおすには、細かな時間調整が必要です。具体的にはレンジ加熱している途中で皮の状態を見て、皺が寄ってしまったら加熱しすぎです。冷凍食品を温めるのとちがって、レンチンにも細かな気配りがいるのです。

どうでもいいことを、延々と書いてしまった。料理はマルチタスク的な能力を鍛えるのにもってこいです。

料理をひとつずつつくっていると、冷めてしまいますが、こんな具合にマルチタスクをこなせば、テーブルに温かい料理をまとめて並べることができます。けれど完成時間まで素早く脳裏で組み立てて、すべてをぴたりと合わせるには意外に頭を使います。

料理は小説執筆に似ています。

前章とはまったくちがう登場人物に添って新たな視点で物語を紡ぎながら、導入部からずっと続いている作品の本質的な部分と筋の流れを頭の片隅において、これから先に描く未来の段落までをも細かく決定していく。さらには物語の終局にまで思いを馳せながら、いま書くべきことを書く。

新人賞応募作でよくあるのは、自分が書いたことを忘れてしまって、矛盾を重ねて気付きもしないという散らかった作品です。

こういった注意力不足は、料理で一気に四品目を遺漏なくつくりあげることができるようになれば、おそらく解消するでしょう。

マルチタスクは乍《なが》ら作業ではありません。貴方も三品目、四品目を並行してつくり、すべてが同時に完成してテーブルに並ぶという境地を目指してください。

私は家族から、魔法だ――と驚嘆されるくらいにマルチタスクをこなして、テーブルの上に熱々の湯気がたつ料理をたくさん並べることができます。

もちろん魔法でもなんでもなく、いま何をすべきかという一点に対する集中力、先を見通す読み、細部と全体に対する工夫のたまものなのです。

第33講 承認欲求と名誉

承認欲求という名の人間が抱えている化け物があります。これを他人から浴びせかけられると、大層鬱陶しい。苛立たしい。面倒臭い。

ところで貴方は、なぜ、小説を書くのですか。まさか、文学に殉じるなどといった腐ったお題目を掲げたりはしませんよね。ま、掲げるのは自由ですが、小説を書くこと自体は信心の領域とは無関係です——と釘を刺しておきましょう。

身も蓋もないことを書きますね。貴方は、認められたいのです。周囲から、さらには貴方の作品を読むであろう見ず知らずの多数の人々から。

貴方がベストセラー作家になったとしましょう。本はどんどん売れて、たくさんお金が入ってきます。

はっきり書いておきますが、一握りのベストセラー作家は年収が億を超えることなど楽々といいますか、当然です。税金対策が悩みの種になってきます。

この私だって、なにも対策をしないでいると収入のほぼ半分を税金で持っていかれるほど稼いでいた時期がありました。税理士から会社組織その他、細々と節税方法を指南されましたが、私は愛国者なので、実際は小説を書く以外のことをするのが面倒で、ほとんど対策を講じませんでした。

たとえば会社組織ですが、完全にノータッチでいられるならばともかく、私の稼ぎで社員――他人を養うのは責任が生じるのでしんどい。それで自分を殺していわゆる売れ線ばかり書くのはあんまりだ。

ですから、税理士のアドバイスを聞き流して素直に多額の税金をおさめてきました。

自慢じみた私事は不細工ですね。話をもどしましょう。

貴方の本の売れ行きが出版社に多大なる利益をもたらせば、社長が自ら接待にやってくる場合もあります。

実際に○○出版の新ビルは、○○○が大ヒットしたおかげで建ったなどという噂を幾度も聞きました。

小説に限らずマンガその他、とにかく出版社に多大なる利益をもたらす作者を社長以下おろそかにするはずもありません。

まだ海のものとも山のものともつかぬ貴方ですが、ちょっとそそられるでしょう。ちょっとどころではないか。

さあ、貴方はベストセラー作家と金という名誉と実利を見事に手に入れました。貴方は時の人として、芸能人ほどではないにしろ、けっこう知られるようになります。

出版社の受賞パーティなどでは、貴方の前に編集者の長い列ができます。

それどころかテレビに出ることもあり、道を歩いていても『○○先生、ファンなんです、読んでます』と一般人から弾んだ声をかけられます。

もっとも東京住まいならば外出時は出版社が自宅までハイヤーを差し向けてくれますから、そうそう一般読者と触れあう機会もありませんが。

ついに承認欲求、充たされましたね。最高だ。金と名誉をものにした。

――名誉？

下にもおかぬ扱いを受けるようになり、黙っていても単行本、忘れたころに文庫本の印税、ときに映画化権料。書籍というものは出版されて順調に売れれば、次々に金を生みだしてくれるのです。

私が小説家になって最初の二十年近くまでは、まずは雑誌連載をしてハードカバーの単行本。それがやがてノベルスになって、さらに文庫化されるという四段階の流れでした。出版部数もいまとは比較にならない状態で一つの作品が四つの多額な原稿料と印税の種子となったのです。

いまは全体的に本もあまり売れず、衰退したノベルスが省かれてしまっています。文庫書きおろしも増え、新人にとっては受難の時代です。話がそれてしまった。

金と名誉を手に入れた貴方は、有頂天の気分が少し醒めてくると、なぜか浮かない気分になる。欲しいものをすべて手に入れてしまったから？　欲しいもの……。

寡作の××さんは出版社のパーティなどにあまり顔を見せないし、まれに出席しても各社編集者が名刺を手に行列することもない。けれど常に幾人かの編集者が取りかこんで、談笑している。編集者の姿が途切れることはない。

それどころか編集者が××さんに向ける眼差しは、貴方に向けられるものとは微妙に違う。貴方に向けられる眼差しは、ひどい言い方をすれば金銭を生む機械の作動が円滑に進むように、いや機嫌を損ねぬように細心の注意を払ったものである。

口先では、さんざん作品を褒めそやすくせに、どうも浮薄で愛想笑いが透けて見え、実がない。

ところが××さんの場合、あきらかにその作品が尊敬、いや崇敬の対象だ。たいして売れない××さんなのに周囲に集った編集者たちの放つ雰囲気は、貴方に向けられるものとは質がまったく違う。違う。違う。違う！

残酷ですね。でも、この業界に三十年以上いて、いつも感じてきました。娯楽小説、なかんずくベストセラー作家が心窃かに抱いている不満を。

それを実際に口にする方もいました。エンタメ作家はいくら売れても文学の作家と扱いが違う。

私はうんうんと頷きながら、扱いが違うかわりに金を儲けられるじゃねえか——と胸中で嘲っていました。

私は職業として小説家を選んだので、切実に金が欲しい。で、遣いきってニヤニヤしたい。

これは私の性癖ですが、もう、わかりましたよね。

金と低姿勢で接する編集者を取り巻きに持ちながらも、モヤモヤがくすぶっているベストセラー作家は、小説家としての真の名誉が欲しいのです。その小説が読み棄てにされるものではなくて、やや大げさですが名作として永遠に残ることを心のどこかで欲しているのです。でも、そんな作品、純な文学だっていまどき有り得ませんよ。けれどベストセラー作家の承認欲求はその大部分が見事に充たされてしまったがゆえ、さらなる本物？に見える名誉を求める。

もちろんそんな陳腐なところをあっさりうっちゃって、マンネリ化したエンタメを平然と書き続けて頭ひとつ、いや二つも三つも抽《ぬき》んでている作家がいます。これぞ真の作家です。

そもそも作家という言葉だが、非常によろしくない。なぜなら小説家でなくとも放送作家、人形作家、絵本作家、映像作家——作家を名乗る職業はいくらでもある。

ベストセラー小説家とはあまり言わないでしょう。ベストセラーのあとに作家がくるのは、そのあたりの機微をよくあらわしています。身の程知らずを承知で言えば、呼ばれるなら、私は小説家がいいですね。

ところで私が娯楽小説と口にすると、露骨に厭な顔をする作家がいます。

娯楽は厭ですか。劣るものですか。あ〜、鬱陶しい。わざわざ英語に言い換えたあげくエンターテインメントをエンタメなんて略して頭に付けるよりも、娯楽小説のほうがよほどましではないですか。

拗ねた毒を吐いているのは、さんざん厭な思いをしたからです。

芥川賞を受賞したときに、私に向けられたエンタメ作家の嫉妬は尋常でなかった。呆れた純文学コンプレックスです。それは出版社のパーティに顔をだすのが苦痛になるほどでした。てめえ、ケンカ売ってんのか？　と凄んで、殴りかねない精神状態でしたが、受賞というものは業界のピエロになることだと理解していたので、弱々しい笑顔をつくって耐えました。それもこれもエンタメ作家として同列に見ていた私が、直木賞ではなく芥川賞に行ってしまったからです。

直木賞だったら私は皆から祝福されたでしょう。先に受賞した方々も、先輩づらできますしね。

けれど芥川賞は勝手が違った。萬月が純文学ぅ？　どう対処していいかわからなかったのでしょう。

そもそも〈文學界〉に受賞作である〈ゲルマニウムの夜〉が掲載されたのは、声をかけたエンタメの小説誌から屠畜《とちく》場面などが問題を引きおこしかねないと、ことごとく掲載を断られたからです。

文学誌よりも目に触れやすい娯楽小説誌ならではの配慮はわかりますが、これが娯楽と純を分ける分水嶺《ぶんすいれい》のような気がします。

ちなみに週刊誌連載をしていたときは、差別用語その他じつに不自由でした。幾度も直してくれないかと相談を受けたものです。大多数の目に触れるということは、こういう面倒を孕んでいるのです。

もっとも〈ゲルマニウムの夜〉はそれなりに売れましたけれど、どこからも文句はきませんでした。

蛇足ですが、純文学方面の方々も、エンタメの人たちとはまた違った意味で私をどう扱っていいかわからないようです。

私が目指しているのはエンタメ作家ではなく蝙蝠《こうもり》じみた娯楽小説家です。いい線をいっていると自負しているのですが、どんなもんでしょう。

もちろん文学呼ばわりされたら、私の目論見は大失敗ですが。

もっとも娯楽小説家を目指すということ、これはこれでなかなかに承認欲求を充たすのが難しい。

私の苛立ちと同様に、文学性がない人ほど売れてしまうと、自分が不当に扱われていると感じる。多額の金銭という対価を得ているにもかかわらず、です。まったく承認欲求というものは醜く果てしない。

まだ私は本気を出していないから——などと他人にとっては訳のわからない万能感を放ち、まともな物も書かない自信たっぷりの人がいます。マニック・ディフェンス＝躁的防禦に逃げこんでいる弱者です。

SNS上ではいかに仕事ができるか、いかにグルメか等々、不特定多数に向けてあれこれアップするマニック・ディフェンサーが腐るほど存在しますね。

彼ら彼女らと接すると、承認欲求がダダ洩れしている人と対峙したときと同様の鬱陶しさ、苛立たしさ、面倒臭さを覚え、ぐったりします。小説家志望に多いのですよ、マニック・ディフェンサー。

はっきりさせておきます。小説家なんてセンスと適性さえあれば三年も書けば（修業すれば）、簡単になれるものですから。

貴方は、まだたいして売れない新人にすぎません。ベストセラー作家のように私は文学的に真の尊敬を受けていないなどという高度な？承認欲求をもつ資格さえありません。

安い承認欲求の塊、あるいはマニック・ディフェンサーと揶揄される前に、とにかく書いて書いて書きまくりなさい。

ある程度売り上げるようになり、受賞等の実績をつくって新人賞、文学賞の選考委員にでもなれば、さしあたり承認欲求は充たされます。

そのあたりから作家になるのか、小説家になるのか、真の分岐点があらわれます。これは純だの娯楽だのとはまったく無関係です。

第34講　夢の効用

政治のことを語るのは、大嫌いです。嫌悪感しかない。けれど昨今の政治家の文学性のなさには辟易しているので、あえて――。

そもそも文学性以前に、まともに日本語を喋れない者が日本の権力の頂点にいる。おぞましい。

うまく語れなくてもいいのです。つかえたっていいのです。理路整然と喋れることなんて、どうでもいい。

ただ文学性の欠如した他に行き場のない者が政治家になると断じてしまいたくなるくらいに、ひどい状況です。

言語表現において、抽象にすぎないという宿命をもつ言葉を用いて、ある概念や心象を鮮やかに描き出す。

これが文学性であると断言してしまうと異論も多々あるでしょうが、ここは煩瑣に陥らぬために抑えておいてください。

国会における答弁は無限ループにして最低最悪なシュールレアリスムの極致です。安全安心の羅列のみの鸚鵡《おうむ》的言語表現？で、貴方は具体的なイメージを脳裏に泛べることができますか。

その一方でデータを羅列されただけでは、人は説得されません。

ああ、そうですよね――と頷きはしましょうが、反論できないだけです。

論理で相手を屈服させれば、心窃かな怨みだけが残る。

いかに相手の情に訴えるか、あるいは鮮やかな絵を見せられるか。

理知に訴えるという言語の用い方もあるのですが、相手の知性を擽りながら、じつは情に訴えるという高度な技術がなければ敵意をもたれるだけです。

文学性に関わる事柄にLiteraryとわざわざ英語で表記したり、あげくメタ言語などといったことを持ちだして滔々《とうとう》と論じるなど頭の悪さを露呈させてしまう人がいますが、致し方ありませんね。お勉強から現出するものなんて、そんな程度です。

純文学と反っくり返っていても、小賢しく小悧巧なだけで文学性ゼロ。けれど、これこそが小賢しく小悧巧な読み手に受ける。つまりかたちを変えた娯楽作品なのです。

逆に娯楽作品の中に深い文学性を放つ小説家もいます。

文学性の性は生まれつきの性質、天性のことですが、濃い薄いはあるにせよ誰にも備わっている性慾と同様、誰にだって文学性はあるのです。

ただし人間の資質で、これだけ露骨に濃淡があらわれるものはありません。

政治家でやたらと文学性が濃かったのはヒトラーです。〈我が闘争〉を、一切の先入観なしに虚構として読んでみてください。主語の煩《うるさ》さには辟易しますが、現代日本の政治家の文学性のなさがあからさまになりますし、なぜヒトラーがあれほど熱狂的に迎えられたかもわかります。

もちろんヒトラーを例に出すまでもなく、文学性は厄災の胤《たね》にもなります。諸刃の剣です。文学性と政治性が結びつくとじつに恐ろしい魔物になりうるということです。

けれど、私は小説家です。文学性を渇仰《かつごう》しますし、為政者には善悪を超えた文学性を持っていてほしい。

政治的な発言の多い作家もいますね。別格は三島由紀夫です。

あるいは毀誉褒貶《きよほうへん》あれど、石原慎太郎に文学性がないと言いきることができる人がいますか。いまの小説家の政治的発言は、じつに小粒です。しかも小賢しく文学性の欠片もない。陳腐な正論を撒《ま》き散らすばかりで、立ち位置が厭らしい。

小説家がそうなのですから、その他諸々が文学性という幽霊（怨霊と言い換えたほうがいいか——）と無縁なのは当然のことです。文句があるなら、思想に殉じて腹でも切って見せろ！

いやあ、恥ずかしい。思想に殉じて腹でも切って見せろ！　ですからね。許してください。

私は腹を立てているのです。政治家に、そして小賢しい小説家に。

鬱陶しい話はやめましょう。ビートルズの〈イエスタデイ〉はポール・マッカートニーが夢の中で曲想を得たものです。

目覚めたポールは、どこかで耳にした曲が夢に出てきてしまったのではないかと心配になり、翌朝、プロデューサーのジョージ・マーティンにメロディを聴かせ、盗作ではないかと訊いたといいます。

ジョージ・マーティンは、これはキミのオリジナルだと請け合ったそうです。

そればかりかクラシック音楽の素養があったジョージ・マーティンはポールが夢で創りあげた楽曲にストリングスを加えてアレンジし、あの名曲が完成しました。

じつはベートーヴェンも夢でずいぶん曲想を得ていたそうです。音楽のことしか考えていない音楽家には、かなりの確率で起こりうることだと思いませんか。

映画になるとフェリーニの〈8½〉やベルイマンの〈野いちご〉など夢でつくられた作品はかなりの数にのぼります。

サルバドール・ダリは〈ダリ――私の50の秘伝〉で、重い鍵を手にして椅子に座って昼寝をし、インスピレーションを得る方法を記しています。

うとうとすると、鍵は床に落ちて鋭い音をたてて、貴方の心の中をさっと横切る『入眠時の幻影』を見ることができると説いているのです。ダリのシュールな絵画の秘密です。

この入眠時幻覚については人類学・統計学のフランシス・ゴルトンによる体系調査が嚆矢《こうし》ですが、じつに九割の人が眠る直前に必ず見るにもかかわらず、そのまま眠りに入ってしまうので記憶には残らないのです。

ところが、残りの一割のなかでも、とりわけ抽んでていたエドガー・アラン・ポーは、この入眠時幻覚を即座にメモして詩作していたとのことです。

ナボコフもこの入眠時幻覚を積極的に利用して作品を書いていました。

スピノザも入眠時幻覚を用いて哲学を組み立てていたそうです。

ユングも『幻像は私には決して異常なことではなく、極端なほどにいきいきとした幻像を入眠時に私はしばしば見ていた』と書いています。蛇足かもしれませんが、ユングは自身を二重人格と感じていたようです。

夢やそれに附随する研究は、ＭＲＩなどの発達により一九九〇年代より飛躍的に進んでいますが、入眠時幻覚は右脳の視覚野および紡錘《ぼうすい》状回顔領域が大きく関与しているとのことで、人の貌を主体とした鮮やかな映像がよく見られます。

紡錘状回顔領域など鬱陶しい言葉を羅列することは避けますが、さらに右脳のこれらの部分と対になる左脳の部位が活性化すると、語彙幻覚が生じます。

語彙幻覚は私にもあらわれますが、正直なところランダムかつ意味不明で、詩ならば話は違ってくるのでしょうが、小説には使えません。

もっとも、見てる見てる——と朧《おぼろげ》気に意識しつつも寝入ってしまっているので曖昧模糊の不明瞭、偉そうなことは言えません。

もし、その瞬間に寝入ることなく、ポーやナボコフのように書きとめることができるならば、貴方の（私の）文学はどれだけの高みに達することができるか——。

悔しいことですが、私には入眠時幻覚を活かす術も才能もありません。知識として知っていて、その自覚から、ごく幽かに入眠時幻覚の記憶が残るようになったということにすぎず、それを用いて作品をつくりあげることはできません。

とはいえ私には明晰夢《めいせきむ》があるので、気を取りなおして続けましょう。

小説と夢の関係となると、メアリー・シェリーの〈フランケンシュタイン〉が夢でつくられた作品としてあげられます。

あるいは一生涯、夢日記を付け続けたグレアム・グリーン。

グレアム・グリーンは朝起きて執筆し、ノルマをこなすと、書きあげた分を夜寝る前に読み直して、意図的に潜在意識に浸透させて『眠っているあいだも仕事ができるようにした』といいます。

つまり朝起きたときに書くものは夢から着想を得たもの——という円環状のシステムが構築されていたのです。

〈情事の終り〉や〈第三の男〉などの着想を夢から得ていたとすれば、これはじつに興味深いことです。

スティーブン・キングも〈ＩＴ〉などの執筆中、壁にぶつかると夢に頼って解決したことを告白しています。

私も夢を下敷きにして、〈夜半獣〉という作品を書きました。この作品の連載を始める前、私は毎晩同じ夢を見続けました。

国分寺のアパートに帰るつもりで乗った中央快速が、なぜか群馬の山奥の木造の駅舎の終着駅に着いてしまうのです。時刻はもう深夜に近い。夢のなかの私は泊まれる場所を探して駅舎をあとにし、勾配をひたすら上っていきます。やがて眼下の盆地に集落があらわれ——切りがないからやめておきます。とにかく、この作品は徹頭徹尾、夢の指示に従って書きあげました。第23講の詳細な地図をつくりあげる云々ですが、じつは、私は夢でこの作品の地理や地勢＝地図を完璧な映像のかたちで知り尽くしていたのです。

正確に書けば、夢のなかで細部を微妙にコントロールして、完璧で遺漏のない上槇ノ原集落、そして登場人物その他を把握して書きはじめたということです。

筋書きはグレアム・グリーンではありませんが、連載締め切りが迫るころになると、眠る前に書きあげた原稿をよく読んで、そしてベッドに転がって夢を見て、その夢に従って書きあげました。

夢で書けるのか？　と疑問を抱かれそうですが、私は七年ほど前から夢日記を書き続け、数年前から意識すればある程度確実に明晰夢を見ることができるようになりました。

夢を見ていることを自覚していて、夢を微妙に軌道修正できるのです。

ネットその他、明晰夢に関するあれこれは情報過多気味ですが、小説に活かすならばよけいな色が付くのはまずい。スピリチュアルな方向に流されてしまわないように注意してください。明晰夢という言葉は、オランダの精神科医であるフレデリック・ファン・イーデンが命名しました。

ファン・イーデンは『暗夜に鮮やかで豊かに律動する人生を送ることができる人にくらべて、人生の三分の一を完全に意識のない状態で過ごす人は「眠りたがりの愚か者」と呼ぶしかない』という辛辣な言葉を残しました。彼自身、生まれつき自在に明晰夢を見ることができたのです。

小説家にとっての明晰夢の効用ですが、なによりも目覚めているときの硬直した水路づけから解き放たれ、安っぽいモラルや常識など軽々と超越した識閾下の自在な発想を得られることがまず挙げられます。

しかも単なる夢にありがちな不条理と違って、小説を書くという意思に沿ったある程度コントロール自在な夢をものにすることができるのです。なによりも、眠るのが愉しくなりますよ！

明晰夢のメソッドは個人の資質にもよるので決定打はありませんが、まずは見た夢を必ず書きとめることとです。

初めのうちは夢の断片もまともに思い泛ばないかもしれませんが、一年、二年と続けると、自在かつ完璧に夢を思い出せるようになります。

もっとも皆さん、早々にリタイヤしてしまい、夢日記、やめてしまうんですけれど。はっきりいって酒飲みには無理ですね。そうでなくとも皆さん、続きません。だから周囲に勧めることは諦めましたが、貴方にはチャレンジしてほしい。

個人の資質と書きましたが、明晰夢の話題が出たときに、某若手編集者が『トイレに閉じこめられて怖くて心細くてならず、ところが目が覚めると、「ああ、あれは夢だったんだ」と気が付く夢』という無限ループした夢をよく見ると教えてくれました。

無限ループはつらいものがありますが、じつは夢の中で『あ、私は夢を見ている』と感じ、悟ったことのある人は、もう明晰夢の入り口に立っています。

若手編集者はきっかけさえあれば夢に介入して、無限ループを止めることができるようになるでしょう。ただし無自覚のままだと前に進めません。

空を飛ぶ夢をよく見る人は統計上、明晰夢をものにすることが多いようです。

飛ぶ夢を見たとき、舞いあがりすぎて地上に降りることができなくて不安が兆したときに、うまく高度を落とすことができるかどうかが明晰夢を見る資質があるかどうかの分かれ目です。漫然と空を飛んだあげく下降することができず、上昇しすぎて恐怖し、厭な汗をかいて目覚めるだけ――夢に一切介入できないというならば、能力的に微妙です。

でも、たぶん、それほど難しいことではないのです。

私も飛ぶ夢をよく見ましたが、明晰夢のことを知った時点で、以下のような意識操作をしてみました。

初めのうちは昇り続けるだけで、太陽に墜《お》ちこんでいくイカロスの気分でした。どうしよう、どうしよう、どうしたらいいんだ〜。そんな感じです。ただ悪夢とするにはゆるさがあり、余裕があった。

そこで私は焦りを棄て、夢のさなかに脱力するような意識をもち、途轍もない高所を浮遊している怖さと不安定さを全身で受け容れるようにしました。これでいいのだ――という肯定的な気持ちです。

かまわない。さあ、もっと上昇しよう。

私はぐんぐん昇っていきます。

そして、気付きました。

昇る方向とはいえ、俺はいま、夢そのものを意識し、コントロールしている。

とたんに上昇も下降も自由自在になりました。もっとも、ときにスランプもあり、舞いあがったきりコントロールがきかない夜もありました。

でも場数を踏むという言葉が夢にふさわしいかどうかは微妙ですが、数をこなすうちに確実に上昇しすぎたな、と感じた瞬間に必ずゆるやかに下降に転じることができるようになりました。

飛ぶ夢をコントロールするのは明晰夢の初歩的段階です。なにせ基本的に空間内の上下だけですからね。

また、これはたまたま私が飛ぶ夢をよく見たからうまくいったという側面もあります。

蛇足ですが、飛ぶ夢は長期間の野宿旅から帰って自分のベッド＝地面とちがって凹凸がなく、クッションがきいて熟睡できる環境にもどったときに、必ず見ました。

それが小説家になってしまって忙殺され、野宿旅と無縁になっても連綿と続いて、現在に至るというわけです。もちろん飛ぶ夢は野宿旅の効用と強弁する気はありませんが。

資料の出処がわからず、記憶で書いてしまうことは心苦しいのですが、さらにもう一つ付け加えておきますね。

夢がいかにも夢らしく不条理かつ自在で現実には有り得ないような超自然的シチュエーションであっても、登場する人物が最後まで一貫した性格――たとえば抑制のきいた物静かな人格が、ある瞬間に躁的で神経質な騒がしい性格に変貌するといったことがなく、最初から最後まで物静かで抑制的であるといった振る舞いを続ける場合、その人物は貴方が統禦している――無意識のうちに明晰夢を見ている、ということなのです。

あとは自覚あるのみです。

自覚しないと、始まりません。

ポール・マッカートニーから延々と羅列してしまいましたが、抽んでた仕事をした人のなかには、生来的に明晰夢を見ることができた人が多い。

古くはアリストテレス。〈夢について〉という著作で、自身が明晰夢を見ることができることを、当然のように書き記しています。

あるいはニーチェ。〈悲劇の誕生〉で、自身が明晰夢を見ることを明かしている。

双方、時代背景もあり、明晰夢という言葉を用いてはいませんけれど。

例示したのが西欧の人物ばかりなのは、近年精神分析等々が盛んになったからで、東洋やアフリカをはじめ、全世界の記録がほとんど無視されてきたからです。

けれどインドの宗教者やアメリカ先住民、さらには荘子の胡蝶の夢を持ちだすまでもなく、夢に関することは人類共通のかけがえのない宝です。

今講は、煮詰まってしまって二進《にっち》も三進《さっち》もいかない貴方にとって大盤振る舞いのサゼッションでした。

今夜から意識的に夢を見なさい。枕許にメモ用紙、そして上を向いていても書けるように鉛筆を用意するのです。

ある程度時間はかかるでしょうが（私は二年ほどかかって端緒につき、五年で自在な境地にまで至りました）、夜を味方につけた貴方の創作が一気に別次元に移行するのを愉しみにしています。

『暗夜に鮮やかで豊かに律動する人生を送ることができる人にくらべて、人生の三分の一を完全に意識のない状態で過ごす人は「眠りたがりの愚か者」と呼ぶしかない』

最終講

たった独りの貴方へ

前講の補遺ですが、限られた人だけが読むことのできるmixiの私の日記から、かなり雑な文章ですが引用しましょう。

以前読み耽った睡眠関係の学術書その他資料が頭のなかでごちゃ混ぜになったものを、委細かまわずぶちまけたものです。

——人間は寝ているとき、一晩に四、五回ほど夢を見る。三度の飯よりも多く夢を見ている。一日、八時間眠っているとしよう。一年で二九二〇時間。一二一日強眠っているのだ。眠っているときにも、当然、脳は活動している（そうでなければ夢を見ることはできない）。ノンレム睡眠時の淡く朧な夢ではなく（訓練にもよるが）くっきりはっきりした記憶に残る夢を見るレム睡眠時には、驚いたことに大脳皮質は、覚醒時よりも強く活動しているという。

一晩で五回夢を見るとすると一年で一八二五回夢を見ているのだ。

意識から解き放たれた大脳皮質の長時間にわたる活動を、貴方はこの歳まで無視してきた。もったいない。

俺が夢の研究資料を集めはじめたのは、夢をなんとか活用できないか、さらには眠るのが愉しくなるようにできないかと発想したことによる。

なにせ起きてるときよりも大脳皮質が作動してるんだぜ。

直観したね。起きているときは多少なりとも社会性その他、常識的に振る舞わざるをえない俺の安っぽい意識という束縛から逃れることのできる夢における脳の活動は間違いなくイメージの泉、なんて生やさしいものではなく、濁流だ。

溺れてみたい。とにかく、これを逃したらもったいない——。

貴方が食事を供される側であると考えてください。水路づけ作家花村から、袋麺を煮たものを延々提供され続けるとしたらたまったものではないでしょう。

たまにしか本を読まない読者はそれでいいのです。けれど読書が好きな貴方は、さすがに眉を顰《ひそ》めるのではないか。

人間は水路づけから逃れられません。けれどそれを打ち破る秘密が、貴方の重要な才能の一部である『夢』に隠されています。

『夢』にあらわれる不条理を、目覚めているときの常識で統合整理して虚構を構築し、新たな視点を読者に提供する。理想です。

売れる作家の諸々も手を抜かずに書いてきましたが、私が貴方に求めているものは売れるだけの『マンネリ』や『陳腐』ではありません。あれこれ口を出す際も、私は自分のことを棚に上げて、図々しいのです。

私は貴方に真の意味で『尊敬』される小説家になってほしい。

それには、なにが必要か。

簡単ですね。まずはオリジナリティです。純でも娯楽でも独自性に欠けた作家は腐るほどいます。

その作家たちは間違いなく皆、独自性があると信じ込んでいるのですから、いやはや凄い世界です。

この自惚れこそが売れる条件かもしれません。考えこんでは、いけないのですね。

これらの文言は否定的に取られかねませんが、私はこういった自惚れこそが小説家的虚構の最たるものと信じていますから、独自性など考えずに売れ線を極める作家を尊敬します。

ただ、それならば、文学的尊敬を求めるような図々しい振る舞いはプロフェッショナルとして控えていただきたい。

私が私淑し、のちに多少なりともお付き合いいただいた小川国夫先生の短篇〈エリコへ下る道〉のことは第4講に書きました。

「この作品は凄いから！　サクリファイスのことなんかひと言も書いてないのに、真の宗教心的境地が押し寄せてくるんだぜ」と、初めて読んだとき、昂奮のあまり皆に触れまわりました。

けれど私に共感してくれた人は、一人もいませんでした。正直なところ、なにを書いてあるかわからない――というのが大方の感想でした。

伝わらないのだから仕方がない。私は他人に勧めるのをやめました。いまだって誰にも勧めません。

ただ、たった独りの貴方には、読んでほしい。既存の権威的かつ腐敗した宗教ではなく、平易な描写の背後にある、人が資質として隠しもっている真の宗教的感情＝宗教心を感知するために悪戦苦闘してほしい。

難しいことなんて、なにも書かれていないのですよ。平易な文章です。それなのに超越的な境地が描かれている。

尊敬していました。敬愛していました。なにかの授賞式でしたが控え室には私より年長の錚々《そうそう》たる作家が集まっていました。

私は久々にお会いした先生と言葉を交わしつつ、ふと気付いたのです。私は立って、先生は座っておられました。だからこそ見えたのです。

先生は淡い茶色のフランネルのズボンを穿いていたのですが、その右太腿《ふともも》にごく小さなものでしたが虫食い穴があいていたのです。それだけの話です。

けれど先生が亡くなってから、私は虫食い穴ばかりを思い出すのです。

先生はとにかくカラオケが好きで、清水《しみず》に遊びに行くと御自身の歳も考えず朝までマイクを離しません。

私は父親から男は歌など歌うものではないと躾《しつ》けられて、それが大人になっても抜けないので、先生いい加減にしろよな――と呆れつつも朝まで付き合うのでした。

先生は気持ち悪いくらいに感情を込めて〈枯葉〉とかを歌うのですよ。聴かされる私はもう、顔が歪んでしまいます。

あるとき先生が「この曲を、花村さんに捧げます」——と、いままでと違ってガシッとマイクを握りしめ、胸を張って朗々と歌いはじめました。〈唐獅子牡丹《からじしぼたん》〉でした。

啞然呆然です。俺のことをそんなふうに思っていたのか——と苦笑いです。

あるとき「花村さんの小説は、情報がみっしりですね。僕には書けません」と囁かれました。私の作品をこまめに読んでくれていることは悟っていましたが、私の小説について語ってくださったのはこのときだけでした。

私はニヤリとしたまま、曖昧に頷いておきました。

なぜ私の小説には情報がみっしりなのか。それは、先生が情報をほとんど省いて小説を成立させていたからです。

先生が情報を省いて描写だけで書いて途轍もない高みに達しているならば、逆に情報をたくさん仕込んで同じような内容をある程度誰にでもわかりやすく書くことを己に課したのです。

私は先生に勝手に学び、自分の小説の書き方を決定したのです。

私が影響を受けた小説家は井上靖、宇野浩二、小川国夫の三人です。

けれど表面上、一切この三人の小説家の影響はあらわれていません。

当然です。私は花村萬月であり、花村萬月にすぎないからです。

文体の上っ面を真似て、なにかいいことがありますか？

ものの見方を真似て、なにかいいことがありますか？

宇野浩二が二人必要ですか？

というわけで内面では強い影響と恩恵を与えてもらってはいるのですが、それが自分の作品に現出することはありません。

私は試行錯誤しながら自分の作品を書くだけです。

貴方も唯一無二という境地を目指してください。それで売れ行きも順調で永続的に仕事が続くなら最高ではないですか！

貴方もそんなすばらしい小説家を幾人か、泛べることができるでしょう。本気で、そういう小説家を目指してください。

それには私が書いたあれこれを仕分け選別して、棄て去るべきものは棄て去り、多少なりとも役に立つものはきっちりものにしてください。

ただ、虚構についてだけは徒疎《あだおろそ》かにせぬように。

最後になって夢で書けと受けとられかねないことを書き連ねましたが、夢は虚構と違って昼間の意識が介在しませんから脈絡がなく自由自在で不条理です。

貴方は夢の奔流の中から貴重な虚構の種子を見出して、人間である以上避けられぬ水路づけから抜けだすのです。

執筆に呻吟《しんぎん》したあげく、天からインスピレーションが降ってきた——と力説する作家がいます。

自身の脳内に潜んでいるインスピレーションを自覚的に用いるのが、夢をよすがに執筆するというやり方です。

夢は間違いなく貴方の能力の一部、いや創造においては技巧的センスを除いて能力のほとんどすべてであるといっていいのです。夢にも、いや夢だからこそ個々人の隠された能力が露骨に出てしまう。当然ですね。

陳腐な夢しか見ることができない人がいる一方で、貴重なヴィジョンを得ることができる人がいる。残酷な優劣があるのです。

自分の能力を過大評価するのは頭の足りない大多数の愚か者ですが、貴方は繊細だ。自身を過小評価せぬよう。

無理だ、できない、そう思ったときが終点で、お終《しま》いです。

もちろんいつも言っていますが、自負心は他人に悟られないよう気配りしなさい。

＊

第1講で、小説家として世にでることができなかった父のことを書きました。

その死に様はじつに凄まじく、無惨なもので、私はいまでも、小学四年のときに目の当たりにした、生きたまま腐敗した父の屍体をありありと泛べることができます。

父は幼かった私を連れて古本渉猟に神保町界隈《かいわい》によく出向きました。当時住んでいたのは都下昭島《あきしま》市の都営住宅で、都心に出るまではそれなりに時間がかかります。

けれど立ち食いの鮨（赤身の血の味は、まさに大人の味でした）や、山小屋風の洋食店でハンバーグを食べさせてもらうのが楽しみでした。

ただし父は急に機嫌が悪くなるので、常に緊張して身構えていました。

行きはいいのです。私にも期待というものがありますから。

けれど帰りは地獄だった。

東中神《ひがしなかがみ》駅で下車して、都営住宅の自宅まで徒歩で帰ります。

父は明治生まれですが、周囲から頭ひとつ飛びだしているほど背が高く、とても足早です。

遅れれば、とっとと歩け！　と叱責が頭上から降りかかります。

小学校低学年の私は付いていくだけでも小走りで必死でした。

米軍立川《たちかわ》基地の西の端に面して、じつに広大な都営住宅が拡がっていましたが、当時はまだ未舗装で、ドブにはミミズがダンゴになってゆるゆる身悶えしていました。

住宅地内には、高圧送電線のくすんだ鈍色《にびいろ》の巨大な鉄塔がそびえていました。膨大な電力を消費する米軍立川基地に送電するために、この鉄塔は常軌を逸した高さでした。

駅からしばらくは無言で歩く父でしたが、この鉄塔が視野に入るあたりから、独り言がはじまります。声音こそ低いのですが、かなり烈しい。棘々しい舌打ちも混じります。

なにを言っているのか、最初のうちはよくわからなかった。

やがて悟りました。父が一人で口走っていたのは『呪い』の言葉でした。内容は断片しか聞きとれないのです。けれど間違いなく父は呪っていた。世界のすべてを呪っていた。

いまなら父がなにを怨み、なにを呪っていたかがよくわかります。自分を小説家として認めようとしなかった諸々を怨み、呪っていたのです。

黒灰色の雲は鉄塔に接してしまいそうなくらいに、低い。高圧線に断ち割られた強風がびょうびょうと呻《うめ》き哭《な》き、悶え、たわみ、叫び声をあげている。

昏《くら》く重苦しい圧のかかった寒々として鬱々とした世界で、父は風に抗するようにわずかに前屈みになって足早に呪詛の言葉を吐き続けるのです。

誰かを呪い、世界を呪う。

怖かった。ほんとうに、怖かった。

五十歳を過ぎても世に認められず、もはや終わったと悟ってしまった父の人格が荒廃していくのを、私は身近で見守って育ったのです。

あげくの病死でしたが、腐った内臓を吐瀉物《としゃぶつ》として上からも下からも撒き散らすという凄まじい死に様でした。

私が安易に小説家入門といった類いの本を書けなかったのは、この父の生と死があるからです。

唆《そそのか》すほうは甘言だけ囁いて、責任は一切取りません。私だって貴方の将来について責任をとることはできません。

だからこそ大多数に向かって、こうすれば貴方も小説が書ける——といったビジネス書めいたものだけは書きたくなかった。

安易に小説家を志してはなりません。

自営業はどんな職業でもしんどいものですが、小説家は職人仕事と違って技術を磨き、抽んでた伎倆《ぎりょう》をものにしたからといって独り立ちして金銭を稼げるわけではありません。

おまえは多少なりとも成功したから偉そうに言えるのだ——という貴方の気持ちもわかります。私には、たまたま適性があったのです。

言い方を変えると、潰しがきかなかったのです。会社勤めもできなければ、浪費は得意ですが、蓄財および金儲けの才覚なんて、ゼロですから。

ここまで読んでくださった貴方は、多少達者に文章が書けるからといって小説家という職業に就けるわけではないということを、きっちり理解してくださっているでしょう。

最後に夢のことをもってきたのも昼間の一般的な経済活動的な生活とはまったく無縁なところで成り立つ生業であることを顕《あきら》かにしたかったからです。

とにかく表現したいという湧きあがる常軌を逸した衝動および情動と、冷徹に虚構を見据え構築する知的能力、なによりもオリジナリティ。汲めども尽きぬ発想。そして細部に対する神経症的繊細さがなければ小説家という職業は成り立ちません。

さらには孤独に対する耐性。ひたすら座り続けて執筆する体力も重要です。

繰り返しになりますが、文章なんて誰にでも書けることは、最初のほうで顕かにしています。私の父も各国の言葉を自在に操り、人並み以上の構文能力がありました。それは残された原稿を読めば一目瞭然です。

けれど、小説家にはなれなかった。世界を呪って悶死《もんし》した。

繰り返します。私が誰彼かまわず安易に小説を書いて小説家になれなどと口にできない所以です。

自分の肉体に異変が起き、健康バカが病身バカになりました。骨髄移植の入院中、無菌室で一気に一年分、この原稿を書きあげてしまいました。モルヒネを打たれて朦朧《もうろう》としているときもこの原稿を書いていました。私が小説家として考えたこと、行ったことなどを残しておきたかったのでしょう。まさに承認欲求の頂点ですね。

でも『小説なんて誰にでも書けます！』と売り上げに特化した商売上の合理的なコンセプトを掲げずに、真の才能を持っているたった独りの貴方に声がけしたいという強い思いがあったのも事実です。

こんな穀潰《ごくつぶ》しな商売、誰にでもできるはずもない。

小説家は、見えなくてもいいものが見えてしまう人なのです。見えない人には、なにも書けないというわけです。

小説の本質は落伍者《らくごしゃ》、脱落者の仕事といいますか、最後の救済です。

貴方は日常をうまく回しています。知的能力だって並以上です。だから、そつなく仕事ができます。

でも深い感受性をもっている貴方は、息をするのも嫌になるほどしんどい瞬間がある。あるいは過剰適応して周囲に合わせて必死に振る舞っている自分に気付いてしまって、抑えようのない嫌悪が迫りあがっている。

誰だって生きることはつらい。しんどい。けれど案外うまく割り切って泳いでいる人が大多数です。

小説を書くという行為は、一般社会では受け容れられない溺れかけた夢想者にして妄想者の最後の逃げ場なのです。

私は敬愛する解離性同一性障害の取材対象者から、サイコパス（十九世紀にできた古臭い言葉です）と喝破されてしまいました。苦笑いとともに受け容れました。

貴方が超一流の小説家として遇され、周囲からちやほやされるようになっても、卑下する必要は欠片もありませんが、じつは脱落者であるがゆえに人間の実相が見えてしまうこと、そして負の感情という資質を自覚し、愛《いと》おしみなさい。文学性の本質は、このあたりに隠されています。

賢明な貴方ならば私の言うことを多少時間がかかっても理解して、慢心せずに地道に精進してくれることでしょう。

ベッドで横になって執筆するという日々ですが、どっこい、まだまだ死にません。幾度か死を覚悟した瞬間があるのですが、死にません。

しかも、どういう具合なのか執筆自体はじつに順調です。まだ免疫がないので外出はできませんが、体調もずいぶんもどってきました。

私は自身の生命力に少々呆れています。ですからいつか貴方の作品を読む日もくるでしょう。その日を心待ちにしています。

言い訳せずに黙って書きなさい。

毎日、途切れずに書きなさい。

ひたすら書きなさい。

唯一選ばれた貴方ならばできます。

小説を書きはじめた貴方が表現の質を高めるためには、虚構に対する集中力を切らさずに細心の注意を払って細部を構築し、しかもたくさん書きなさい。ひとつの作品に拘泥するよりも、縦横にイメージを羽ばたかせた多作が必要なのです。

思い切り飛翔してください。降りてこられなくなるくらい、舞いあがるのです。それを貴方に命じて筆を擱《お》きます。

＊語彙についてのあれこれは〈世界大百科事典〉平凡社刊――を参考にさせていただきました。
＊夢についてのあれこれは資料の断片など煩瑣に陥るのと、記憶だけで書いていることもあり省きました。錯誤等あるかもしれませんが、本質的な問題はないはずです。

あとがき

この本のゲラ刷りの手入れをしながら、いま私は博奕《ばくち》をしていると思いました。小博奕ではなく、大博奕です。幾人の方がこの本を手に取ってくれるかわかりませんが、そのなかの『たった独り』が『たった独り』で試行錯誤して『たった独り』だけが、周囲から瞠目《どうもく》される小説家になる。もし、それが実現したら私の勝ちです。負け自慢が好きな人もいますが、私は絶対に勝ちたいのです。

＊小説とは虚構であること。執筆において自分の経験などを用いてもかまいませんが、小学生の作文のようなダダ洩れに陥ってはなりません。自分の経験その他は、常に虚構に奉仕させることを念頭においてください。

＊自分のことを知って欲しい？　申し訳ありません。誰も貴方のことなど知りたくありません。自覚してください。自分で思っているほど他

人は貴方のことになど興味をもっていないということを。承認欲求をこじらせた人がネットなどで攻撃的な言辞を撒きちらしていますが、匿名の暴走は無様です。貴方は小説家。真の手管をものにしてください。

＊二十代後半でしたか。真冬の北海道を旅行しました。主にユースホステルに泊まったのですが、必ず鉄道マニアがいました。ユースに泊まるのは初めてだったので勝手がわからず、つい彼と目を合わせてしまった。とたんに愚にもつかぬ蒸気機関車の写真を見せられて、延々と蘊蓄《うんちく》をぶつけられ、辟易した。私が鉄道になんら興味をもっていないということに思いが至らない。これって凡百の小説家志望に共通した心理です。度し難い未成熟です。自分の好きなことを隠し、相手に合わせて語る。そんな強《したた》かさが必要です。その他大勢ではなく『たった独り』の貴方ならできるでしょう。読者の心理の綾をさりげなく、けれど綺麗に刺し貫くのです。

＊夢で書くあたりは、読み飛ばしてもかまいません。理由は、明晰夢を見ることも才能だからです。けれど「俺は夢など見たことがない」と豪語していた某作家に、軽く明晰夢のレクチャーをしたところ、明晰夢を見る云々はともかくとして、明け方の夢から連続して起き抜けか

ら書くことができた！　と報告があり、彼はそれで文庫書きおろしの時代小説を書いているようです。

＊夢その他、ちゃんと脳を使ってやれという話です。貴方の能力は無限大です。けれど使ってあげなくてはなりません。能力なんて、ただの道具。使ってナンボです。

＊能力や才能といったものを特別扱いしていませんか。バカと鋏《はさみ》は使いようという私に向けたかのような失礼な諺《ことわざ》がありますが、これは能力と鋏は使いようとしたほうが正しい。『たった独り』の貴方は能力や才能のあるなしを悩む前に、それらの使い方、用い方を考えましょう。だいじょうぶ。その他大勢でない『たった独り』の貴方にはそれらを自在に使う能力が備わっています。ヒントはこの本にしっかり詰め込んでありますから。

ベッドをまたぐかたちで鉄製の頑丈な棚を拵《こしら》えて、パソコンやディスプレイを設置しました。

と、書いても意味がわからないでしょう。実際に目の当たりにしてもらえば、その威容（異様？）に感嘆してもらえるかもしれません。それというのもベッドに横たわると、頭上に迫《せ》りだした27インチのディスプレイがちょうどよい位置にくるようになっているのです。腹の上にキーボードとトラックボールを置けば、寝たまま執筆ができてしまう。

近ごろはずいぶん体力がもどってきて、そろそろ半地下の書斎にこもって——座って執筆をしようかとも思うのですが、横になったまま執筆ができてしまう安楽を棄て去ることはなかなかできません。

結果、ちょうど〈海路歴程〉という時代小説の連載が始まったので、枕の左右に資料が山積、じつに狭苦しい寝床と相成ってしまいました。

以上、横着者の近況でした。

〈小説すばる〉連載中は担当I、そして途中から代わった田中玲遠、書籍化には佐藤一郎の手を煩わせました。佐藤は昨年、体調を崩したのですが、私が不安になるほどの仕事ぶりでした。校閲の方の叮嚀《ていねい》な作業とあわせて、深い謝意をあらわし、また、その体調の復活を嬉しく思います。

七月中旬、炎暑の日。

花村萬月

初出　「小説すばる」二〇一八年一一月号〜二〇二一年一〇月号
単行本化にあたり、加筆・修正をおこないました。

花村萬月

はなむら・まんげつ

1955年東京都生まれ。89年『ゴッド・ブレイス物語』で第2回小説すばる新人賞を受賞しデビュー。98年『皆月』で第19回吉川英治文学新人賞、『ゲルマニウムの夜』で第119回芥川賞、2017年『日蝕えつきる』で第30回柴田錬三郎賞を受賞。その他の著書に「百万遍」シリーズ、「私の庭」シリーズ、『弾正星』『信長私記』『太閤私記』『ニードルス』『花折』『帝国』『対になる人』『夜半獣』『ハイドロサルファイト・コンク』『槇ノ原戦記』などがある。

装丁　アルビレオ
装画　飯田研人

たった独《ひと》りのための小説《しょうせつ》教室《きょうしつ》

二〇二三年 九 月三〇日 第一刷発行
二〇二四年 一 月 六 日 第三刷発行

著 者 花村萬月《はなむらまんげつ》

発行者 樋口尚也

発行所 株式会社集英社
東京都千代田区一ツ橋二—五—一〇 〒一〇一—八〇五〇
電話 〇三(三二三〇)六一〇〇[編集部]
〇三(三二三〇)六〇八〇[読者係]
〇三(三二三〇)六三九三[販売部]書店専用

印刷所 TOPPAN株式会社

製本所 ナショナル製本協同組合

ISBN978-4-08-771844-7 C0095
定価はカバーに表示してあります。